una forma de dar amor

Autor
Ernestina Rosendo

Coordinación y supervición de la obra
Equipo Editorial

Diagramación y diseño
Cecilia Cuevas

Impreso en Pressur Corporation S.A.
República Oriental del Uruguay

ISBN: 978-9974-8065-2-8

Edición 2008

Rosendo, Ernestina
Límites : Una forma de dar amor / Ernestina Rosendo. -- Montevideo, Rep. Oriental del Uruguay : Latinbooks International, 2008.
160 p. : il. ; 13.5 x 19.5 cm.

ISBN 978-9974-8065-2-8

1. PSICOLOGÍA INFANTIL. 2. AUTOAYUDA. 3. GUÍA PRÁCTICA PARA PADRES. I. Título.
CDD 155.4

Índice

Introducción

Seguramente ser padres es una de las experiencias más importantes y emocionantes de nuestras vidas. Pero también, una de las más complicadas, que nos enfrenta cotidianamente a nuevos desafíos acerca de cómo manejarnos con nuestros hijos. Estas cavilaciones y temores acerca de la crianza de los niños, que nos conducen a formularnos preguntas recurrentes como "¿lo estaré haciendo bien?", "¿soy demasiado permisivo?" o, por el contrario, "¿soy obsesivamente exigente?", forman parte tanto de nuestras propias inseguridades, de los conflictos y tensiones en el interior de las familias, como también de un sistema social que ha sufrido transformaciones radicales en las dos últimas décadas.

Sin duda, todos los estudios sociales se expresan sobre las grandes mutaciones del sistema social contemporáneo: de los valores, creencias, hábitos y costumbres que, hasta hace muy poco tiempo atrás, eran incuestionablemente aceptados. Y de la mano de la transformación de la sociedad, también se alteran la vida cotidiana, los roles sociales de los hombres y las mujeres, las formas de trabajar y la dedicación al trabajo, las funciones de las instituciones sociales y la propia constitución de las familias. La familia tradicional -constituida por un padre que trabaja y sustenta económicamente las necesidades materiales de la casa y de sus miembros, y por una madre dedicada a las tareas hogareñas- coexiste con una multiplicidad de formas familiares, que abarca hogares uniparentales, jefas de familia, convivencia con hijos de diversos matrimonios, hijos viviendo simultáneamente en dos hogares, familias ensambladas, entre otras múltiples maneras de constituir las familias hoy.

Estas transformaciones, en el marco de una coyuntura económica de crisis, también han implicado -como casi todos nosotros sabemos y hemos experimentado- que ya no sólo fuera necesario el sustento económico del *hombre de la casa*, sino también el aporte femenino para la subsistencia material de la familia. Pero esta mirada económica del problema se acompaña de un cambio radical del rol y de los intereses de las mujeres en el mundo contemporáneo: interés en desarrollarse fuera del hogar, tener autonomía económica, realizarse en un oficio o profesión o, en última instancia, ser bastante más que "madre y ama de casa", aun cuando estos son roles social y culturalmente valorados.

Como si fuera poco, la institución educativa, instancia central en el proceso de socialización de los niños luego de la familia, también se reconoce en crisis, y con ella su función de educación. Es decir, los cambios sociales que vienen aconteciendo también van implicando transformaciones en la escuela tradicional de antaño y cuestionan qué valores y actitudes se deben inculcar y transmitir. Asimismo, la escuela se enfrenta con cierto grado de incertidumbre acerca de cómo proceder en la disciplina y la imposición de normas a los niños, para su futura conformación como personas autónomas y éticas, de acuerdo a los valores socialmente aceptados en la actualidad.

Ustedes, acertadamente, se podrán estar preguntando qué tiene que ver la transformación de las familias y la crisis de la institución educativa con la crianza de sus hijos; con el hecho de si les ponen límites o no, o con sus propias dudas acerca de qué tan bien (o no tan bien) están cumpliendo con su función de madre o padre. Y es así que lo que nos pasa a nosotros como individuos, en nuestras familias, en las relaciones con nuestros padres y con nuestros hijos es consecuencia de la vida social, cultural e institucional de la que formamos parte.

Las ventajas que se desprenden de la libertad y la flexibilidad en la manera de formar nuestras familias también se acompañan, paradójicamente, de la fragilidad de los vínculos familiares y sociales. Sin duda, en términos generales, hoy se pasa menos tiempo en el hogar, se comparte pocas actividades familiares y se dispone de menor cantidad de tiempo para estar con nuestros niños. Esta situación trae aparejados nuevas formas de vinculación con los hijos y nuevos modelos de educación que, en algunos casos, resuelven de manera más eficiente pautas de crianza pertenecientes a otras generaciones (como el castigo físico, la rigidez en determinadas normas, el abuso de poder, entre otras); pero introducen también nuevas dificultades y dudas. La puesta de límites, el decir "no", cómo decirlo, cuándo y con qué frecuencia, es una de las tareas que, como padres, más dudas nos genera en la actualidad. Y más conflictos acarrea en la pareja, ante las mutuas -y frecuentes- acusaciones: "no pones límites", "todo se le está permitido", "eres muy permisivo" o -por el contrario- "eres demasiado exigente".

Y, efectivamente, poner límites no es tarea sencilla, porque no es fácil decirles que "no" a los niños, no es fácil sostener el "no" pese a las insistencias de nuestros hijos; y no es fácil contener el enojo y soportar la fatiga emocional que provocan los berrinches que se suceden a causa del "no". No sabemos ni estamos demasiado preparados para establecer límites: hablamos mucho, nuestras emociones nos desbordan –especialmente el enojo-, somos confusos, contradictorios y exageramos nuestra autoridad.

Si no fuera porque la puesta de límites es una de las instancias fundamentales del crecimiento y desarrollo afectivo, psicológico y hasta físico del niño, nos ahorraríamos malestar y dificultades, simplemente, diciendo a todo que "sí", "haz lo que quieras, cuando quieras y de la manera que quieras".

Tampoco hay que confundirse: poner en penitencia al niño, castigarlo, amenazarlo no son sinónimos de puesta de límites. Esas acciones constituyen, principalmente, la imposición de un control externo –el nuestro- que cuando desaparece deja de surtir efecto y, claro está, un abuso de poder. En otras palabras, esto significa que sirve para un momento puntual, en el cual el niño obedece momentáneamente para evitar la reprimenda. Esto no es la interiorización de límites, ni tampoco la construcción del autocontrol que el niño requerirá para manejarse en la vida social.

Fijar límites es una manera de orientar al niño; de poder indicarle qué está bien y qué está mal en determinado contexto; qué es peligroso y qué no; qué se puede hacer y qué no. Los niños sin límites -para los que todo está permitido, que no siguen pautas sobre horarios, sobre cómo hacer las cosas y sobre cómo comportarse- se sienten inseguros, desprotegidos, no saben cómo manejarse y presentan una baja autoestima. El no saber qué está bien y qué mal, y el cómo comportarse ante los demás en diversas situaciones y contextos generan un gran monto de angustia.

La interiorización de límites es también un factor clave de protección en la adolescencia. Éste es un momento evolutivo en el cual se es proclive a asumir conductas de riesgo como: consumir drogas, alcohol, adoptar comportamientos sexuales precoces y sin cuidado personal y realizar acciones peligrosas para la propia integridad física. Los jóvenes con límites internos, y que por ende pueden respetar los externos, se conducen de manera más cuidadosa, siendo cautos ante las situaciones de riesgo.

Si bien se recomienda comenzar a poner ciertos límites desde las etapas infantiles más tempranas, por supuesto acordes a lo que el niño puede comprender y obedecer según el momento evolutivo en el que se encuentra, nunca es tarde para empezar; aunque muy probablemente cuanto más grande, mucho más dificultoso resulte. Pero siempre se debe tener la convicción de que la puesta de límites no es un acto de tiranía hacia nuestros hijos, sino uno de amor, de cuidado y de protección. Por lo tanto, este libro está dirigido tanto a las madres y a los padres que tienen un bebé y todo el futuro por delante para su educación; como a aquellos otros que ya se encuentran en la arena movediza de la crianza de sus hijos cuando ya dejaron de ser bebés. También a los educadores, quienes, luego de la familia, son los responsables de una parte significativa del proceso de socialización y desarrollo emocional y social de los niños.

Este libro no pretende dar directivas ni recetas; puesto que partimos de la convicción de que, en un mundo complejo como el contemporáneo, las indicaciones rígidas y con una aparente simplicidad no resultan efectivas. Tampoco pretende acusar ni cuestionar destructivamente a madres, padres y docentes, que cotidianamente se erigen de manera voluntariosa y valiente para enfrentar las dificultades que implica el vivir y trabajar en una sociedad como la nuestra.

Por el contrario, este libro tiene por finalidad aportar sugerencias y consejos sobre cómo instaurar límites en los niños, en vistas a una evolución emocional y física óptima; apelando siempre a la reflexión y a la introspección acerca de nuestros modelos interiorizados y, por ende, de nuestros comportamientos en relación con nuestros hijos. Y, por sobre todas las cosas, recurriendo a la propia capacidad y a los recursos que cada uno de nosotros tiene, para construir creativamente estrategias en uno de los aspectos más cruciales del crecimiento de los niños, y del desarrollo de las futuras generaciones de hombres y mujeres.

Los invito a compartir este desafío...

1. ¿Qué son y para qué sirven los límites?

Un acercamiento a su definición

Cómo proceder en la crianza de los niños nunca deja de ser un tema necesario para debatir, puesto que la propia historia revalida permanentemente la reflexión sobre las formas más adecuadas de conducir el desarrollo de los niños y jóvenes para la sociedad en la que les toca vivir. De hecho, un recorrido por la historia de la infancia nos muestra períodos remotos, especialmente anteriores al siglo XVIII, cuando el maltrato y la crueldad constituían instancias de educación, que hoy descalificaríamos horrorizados. Sociedades diversas, y en tiempos históricos diferentes, han construido representaciones sociales sobre los niños, que los ubican desde una posición de seres demoníacos, temibles y malvados, pasando a ser concebidos como seres de satisfacción de deseos y necesidades de los adultos –una suerte de deliciosa posesión-; hasta considerarlos, como sucede en el presente, como sujetos de cuidado con derechos, por sobre la exigencia de obligaciones y responsabilidades. Estas representaciones sobre la infancia y los niños han validado determinadas prácticas en lo referente a las pautas de cuidado y crianza, que van desde la aceptación de los sentimientos hostiles y el castigo corporal hacia ellos, hasta la centralidad de la preocupación por satisfacer sus necesidades afectivas y materiales.

La crianza de los niños es un campo que, en nuestra experiencia como padres o educadores, no se caracteriza por la abundancia de certezas sino más bien por las inquietudes, el desconcierto, la ambivalencia y el cambio histórico permanente. Muchas veces actuamos de manera equivocada no por el predominio de la *mala voluntad* sino por desconocimiento, por ignorancia, o por lo que dictaminan nuestros modelos de crianza interiorizados. Muchas de nuestras decisiones y actuaciones en relación con los niños son resultado de la forma en que nosotros mismos hemos sido educados. El poder reflexionar y ser concientes de esas pautas inculcadas nos ayudará a discernir acerca de qué pautas de educación podemos repetir y cuáles no, especialmente en vistas a la formación de nuestros niños en el presente que les toca vivir, y con perspectiva de futuro. Educar, enseñar, criar son acciones en el aquí y ahora de nuestra vinculación con los niños, pero con un elevado nivel de productividad en el futuro.

> Muchas veces actuamos de manera equivocada no por predominio de la mala voluntad sino por desconocimiento o ignorancia...

Sopesan en nuestros modelos de crianza, aún, creencias equivocadas que nos conducen a pensar y actuar de manera tal, que justificamos el susto y la amenaza como estrategias de disciplina. Como lo ilustra uno de los ejemplos más clásicos: "si te portas mal, va a venir el hombre del saco". Y también la utilización de la intimidación por medio del castigo corporal, aun cuando se trate sólo de una bofetada. Tampoco son pocas nuestras dificultades, como adultos, para comprender empáticamente a los niños: qué sienten, cómo sienten, por qué reaccionan de tal manera, por qué enfurecen, por qué se angustian o por qué transitan abruptamente del llanto a la risa.

No obstante, en la actualidad pareciera ser que asistimos a un cambio cultural que transita de un modelo autoritario de crianza a otro más flexible, permisivo y tolerante. Cada vez en menor medida apelamos a expresiones tales como: "tienes que obedecer porque lo digo yo", "en esta casa se hace lo que dice papá/ mamá"; en las que la voluntad de los adultos –padres, madres, educadores- es la ley suprema que niños y jóvenes deben cumplir. La disciplina, es decir, la enseñanza acerca de cómo debe comportarse el niño, y la educación en normas y reglas ya no se sustentan en el castigo, la coerción y el abuso de autoridad, como sucedía en tiempos pasados. Pero la superación de un modelo de crianza, ahora considerado caduco, requiere la construcción de otro. Uno que permita adecuarse a las necesidades de los niños, sin dejar de establecer determinadas pautas, exigencias y orientaciones en el crecimiento y desarrollo psicofísico de los infantes.

"En la actualidad pareciera ser que asistimos a un cambio cultural que transita de un modelo de crianza a otro más flexible, permisivo y tolerante..."

Ahora bien, retomemos la pregunta que da origen a este apartado: ¿qué son y para qué sirven los límites? Y sumemos otras conexas: ¿qué tan necesarios son?, ¿cómo deben ser?, ¿en qué consisten? y ¿qué no es, o no debería ser, un límite? Éstas y otras preguntas suelen ser recurrentes en nuestra tarea cotidiana, ya sea en el cuidado y educación de nuestros hijos, como en las funciones educativas, en el caso de que nos desempeñemos como docentes. Y está bien que así sea, puesto que el punto de partida debe ser la reflexión acerca de cómo deberíamos actuar, cómo actuamos y qué tipo de modelo de enseñanza hemos recibido e interiorizado. La introspección y la autocrítica son los pilares de todo cambio que resulte imperioso emprender. Tengamos presente que el eje del cambio no son los niños, sino nuestras actitudes con respecto a su educación y a la manera de conducirnos con ellos. Como versa el viejo aforismo, "el cambio empieza por casa..."; es decir, por nosotros mismos como adultos responsables de la educación de nuestros niños.

> "Tengamos presente que el eje del cambio no son los niños, sino nuestras actitudes con respecto a su educación y a la manera de conducirnos con ellos..."

No existe una única manera de instaurar límites. Y de hecho, la forma de hacerlo varía según la etapa evolutiva por la que esté atravesando el niño. Pero lo más destacable y significativo en relación con los límites es que éstos son un aspecto fundamental en el desarrollo óptimo de la salud psicofísica de los infantes. Los límites posibilitan, en primera instancia, delimitar al niño respecto de su propia persona, acciones y comportamientos. ¿Qué significa esto? Que contribuyen a la constitución de la propia personita que se encuentra en desarrollo, orientando en la discriminación acerca de qué puede hacer y qué no; es decir, qué acciones realizar, cuáles no y de qué manera llevarlas adelante. A saber que, más allá de uno, siempre hay un otro; y que nuestros comportamientos tienen efectos y consecuencias, tanto positivas como negativas. En otras palabras, instaurar cierta legalidad que regula los comportamientos y acciones, tanto en relación con los otros como con uno mismo, y que establece un tope a los excesos que puede implicar la producción de daño propio o ajeno. En definitiva, prepara para el funcionamiento en la vida social.

La fijación de los límites comienza, en alguna medida, desde el propio nacimiento; aunque, por supuesto, en esta etapa evolutiva importa más la instauración de hábitos que de normas o reglas. Los propios hábitos también colaboran en instaurar cierto orden en la rutina cotidiana: las cosas empiezan a hacerse de determinada manera y no de cualquier manera. Es decir, se va estableciendo un orden con determinadas actividades y horarios. Por supuesto que esto no implica que apenas nazca un bebé lo sometamos a rígidas rutinas y desoigamos y desatendamos sus necesidades (de alimentación, de higiene, de compañía, de contención), que aparecen con frecuencia de manera intempestiva y en momentos poco oportunos. (¡A qué madre no le ha tocado liberar un pecho en un lugar público para saciar el apetito de su inconsolable bebé!).

El orden y la rutina que se van estableciendo desde el nacimiento posibilitan de manera paulatina el proceso de diferenciación del bebé en relación con los demás. Esto es, que el bebé pueda ir comprendiendo que los otros no le pertenecen, no forman parte de su ser. Requiere un largo proceso la diferenciación del bebé, de su "yo", del entorno físico y humano que lo rodea; es decir, la diferenciación entre "yo" y las demás personas u objetos. Lograda esta diferenciación, aparece la posibilidad de convertir al otro (en primer lugar los progenitores) en objeto de afecto. En otras palabras, hasta pasado el año de edad, existe un egocentrismo absoluto centrado en el propio cuerpo y las acciones del bebé. El verdadero desarrollo del "yo" adviene cuando toma conciencia de sí mismo y de la posibilidad de interactuar con el medio y la realidad. Al final de este período, el bebé logra un descentramiento general y se ubica como un sujeto entre otros.

"La rutina desde el nacimiento va a colaborar en la diferenciación del bebé de las otras personas y cosas del mundo físico, y en la delimitación de su propio lugar como ser independiente de la madre y de los demás..."

Entonces, la rutina desde el nacimiento va a colaborar en la diferenciación del bebé de las otras personas y cosas del mundo físico, y en la delimitación de su propio lugar como ser independiente de la madre y de los demás. Esta rutina es muy sencilla y comienza por establecer horarios y ciclos en la alimentación, en el sueño y en los hábitos de higiene; éstos se constituyen de algún modo en los primeros límites básicos. Por supuesto, con el paso del tiempo, la rutina se complejiza y suma nuevas actividades que requieren cierto mecanismo de regulación, como horarios de juegos, paseos, baños, etc. El bebé, de esta manera, va apropiándose del orden de la rutina cotidiana; y en ese orden y esa constancia se va fundando un sentimiento de seguridad, que es fundamental en su desarrollo psicológico.

Si esta rutina y este orden básico no se implementan desde la vida temprana del bebé, pues sí que será una vida difícil, la de adultos y niños, cuando éstos ronden los 3 ó 4 años de edad. Sin una rutina, sin límites y sin reglas, los niños a esta edad pueden ser realmente difíciles de manejar y, por qué no explicitarlo, también de ¡soportar! A esa edad los infantes buscan saber hasta dónde pueden "llegar" con las actividades que les gustan, con sus comportamientos, reacciones y con probar a los adultos. Es un reto permanente a sí mismos y a los otros. Un reto que, justamente, no tiene límites e implica una difícil relación entre progenitores y niños, y un cansancio extremo de los primeros. En esta situación, el niño no puede ponerse límites a sí mismo; por el contrario, siempre está intentando superarlos, sortearlos, desbordando –peligrosamente- los niveles saludables; lo cual implica superarse y avanzar un poco más allá de hasta donde podía hacerlo. El problema radica en que la carencia de límites impide la autorregulación de los propios comportamientos y acciones, y esto puede ser sumamente peligroso para el bienestar y la seguridad del niño.

> "La carencia de límites impide la autorregulación de los propios comportamientos y acciones, y esto puede ser sumamente peligroso para el bienestar y la seguridad del niño..."

La rutina permite, entonces, construir fronteras, saber qué esperar, manejarse en un mundo con cierto grado de previsibilidad, adaptarse a nuevas exigencias y asumir responsabilidades. Es decir, saber a qué atenerse y, por ende, sentirse más protegido. La carencia de límites y de reglas no es sinónimo de libertad sino de inseguridad, de desprotección y de angustia. Porque el niño no cuenta con la interiorización de pautas para el propio cuidado, para el cuidado de las demás personas, y para saber cómo manejarse y a qué atenerse en diversas circunstancias y contextos. Como podemos ir vislumbrando, la interiorización de los límites es un aspecto de vital importancia en el proceso de socialización de los niños. El desarrollo social y productivo de una persona requiere que ésta se sienta segura, sepa cómo manejarse y conducirse de manera autónoma. Por supuesto que esto se logra a partir de la construcción de valores y conductas positivas pro sociales que, indefectiblemente, requieren la interiorización de límites y pautas de cuidado, para con uno mismo y las demás personas.

Ante semejante planteo, la pregunta del millón es ¿cómo lograrlo? O bien, ¿qué funciones y obligaciones me competen como padre, madre o educador de un niño?

"La interiorización de los límites es un aspecto de vital importancia en el proceso de socialización de los niños..."

Si bien a lo largo del libro intentaremos responder a éstos y otros múltiples interrogantes, creo que debemos empezar por plantear tres posibles malentendidos. El primero se refiere a desterrar falsas creencias: que la puesta de límites reduce las capacidades de los sujetos, censura la expresión, coarta la libertad, adapta pasivamente a la realidad. Veremos que es justamente lo contrario; y lo que podemos ir adelantando es que el desarrollo de las capacidades y la autonomía de un sujeto, la libre expresión, la libertad, y la vida misma necesitan cuidado y amor hacia uno mismo y hacia los otros. Y ello, insistimos, requiere que tengamos límites, que sepamos cuándo avanzar y cuándo no; poder apreciar los derechos de los otros, poder cuidarlos, sentirnos seguros para actuar, sentir que los otros también nos cuidan y cuidarán.

Segundo: no se trata de prohibir por prohibir. No se trata de un abuso de poder, de autoridad, que puede tentarse ante la incuestionable existencia de una relación asimétrica entre padres o docentes y niños. No se trata de "mandarlos" sino de "orientarlos". No se trata de "exigirles" sino de "responsabilizarnos" de su cuidado. Procuremos tener siempre presente que, antes de nuestros derechos como padres, están las responsabilidades con nuestros hijos. Que en el derecho de los niños y en nuestra responsabilidad radica el mejor desarrollo psicofísico al que podamos aspirar. Fijar límites implica que podamos asumir un cuidado responsable con los niños, y no que batallemos a su misma altura (emocional y comportamental). No hay situación que genere mayor inseguridad a los niños que encontrarse con adultos que se comportan como niños, que responden con estrategias, actitudes y comportamientos parecidos a los que asumen ellos. Un niño necesita adultos responsables que le transmitan seguridad, y con quienes poder establecer vínculos estables que no se vean amenazados por la puesta de límites y de reglas en su vida cotidiana.

Un tercero, al que le dedicaremos especial atención más adelante: la confusión (u homologación) entre castigo, amenaza y fijación de límites. El castigo y la amenaza son métodos rápidos y efectivos, mas no productivos. Infunden dolor, temor, inseguridad y violencia. No son productivos porque justamente obtienen los efectos contrarios a una puesta de límites adecuada. Generan sumisión basada en el temor o, por el contrario, rebeldía como manera contestataria a un abuso de autoridad por parte de los adultos. El castigo y la amenaza son, en definitiva, situaciones de abuso de poder del más fuerte sobre el más débil; que infunden inseguridad y deterioran los vínculos, en lugar de fortalecerlos.

Volvamos al comienzo una vez más, ¿qué son y para qué sirven los límites? Son un acto de amor y de cuidado hacia los niños. Es una manera de transmitirles que siempre los orientaremos, los apoyaremos, los ayudaremos a discriminar qué es seguro para sí mismos y para los otros, y qué no lo es. Cómo crecer y educarse para poder vivir de manera responsable, segura, autónoma y productiva en la sociedad. Cómo quererse y cuidarse; cómo querer y cuidar a los demás.

> "El castigo y la amenaza son, en definitiva, situaciones de abuso de poder del más fuerte sobre el más débil..."

Y, por el contrario, ¿qué no son los límites? No es juzgar, no es desaprobar a los niños, no es un control rígido y excesivo. Por sobre todas las cosas, no es violencia, no es castigo ni abuso de autoridad.

En síntesis, los límites:

- forman parte del desarrollo del bebé y le permiten percibirse como una persona diferente de los demás;
- contribuyen a la discriminación de lo que está bien y lo que está mal;
- introducen un ordenamiento y una delimitación en la rutina del bebé y del niño;
- estimulan el autocuidado y el cuidado de las demás personas;
- son un acto de amor y de protección hacia los niños.

Algunas preguntas para la reflexión

Proponerse un cambio no implica, inversamente a lo que dicen los dichos populares, "borrón y cuenta nueva". Por el contrario, requiere asumir y reflexionar sobre nuestras actitudes, comportamientos o sentimientos que irremediablemente existen y queremos modificar. Por tanto, si el cambio que nos proponemos se refiere a la manera de instaurar límites en los niños –ya sea desde nuestra ubicación de padres, docentes o tutores-, debemos partir *necesariamente* de un ejercicio reflexivo. La acción siempre, en alguna medida, se acompaña de la reflexión; y en el tema específico que nos convoca, es particularmente importante que así sea: actuar en base al pensamiento y la reflexión y no en base a la impulsividad.

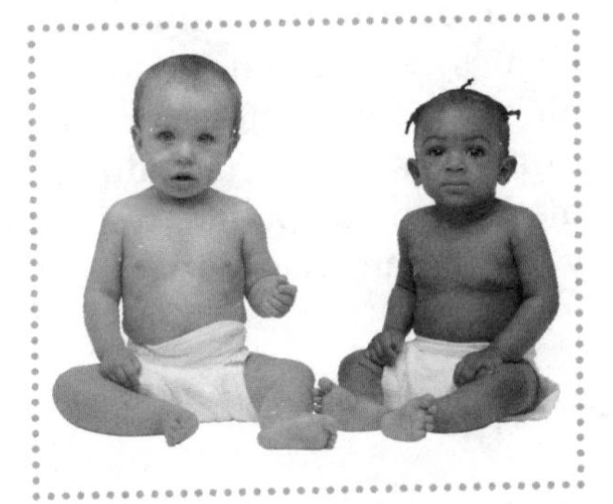

He aquí algunos de los puntos sobre los cuales deberíamos detenernos:

1. **Nuestros posibles modelos internos:**

- ¿Cómo nos educaron en la escuela y en el hogar?
- ¿Qué valores nos fueron transmitidos?
- ¿Cómo nos han tratado los adultos en nuestro proceso de crecimiento? ¿Y cómo nos hemos sentido con el trato recibido?
- ¿Qué juzgamos de la educación que nos dieron nuestros padres y que hemos prometido nunca hacer (repetir) con nuestros hijos?

2. **Nuestras formas de conducirnos:**
- ¿Cómo nos manejamos con los niños?
- ¿Qué concepciones tenemos sobre ellos?

Las respuestas que obtengamos para estas preguntas deberán acompañarnos a lo largo de la lectura del libro, con la finalidad de testearlas y contrastarlas con la información que vayamos apropiándonos, acerca de las estrategias más convenientes –y de las que no lo son- para la puesta de límites a los niños y adolescentes. Seguramente, en el recorrido de la lectura, estas respuestas adquirirán nuevos significados en la medida en que podamos ir complejizándolas, repensándolas y reelaborándolas.

2. El desarrollo emocional de los infantes y la puesta de límites.

¿Qué dicen las teorías científicas?

Los padres como primeros modelos de identificación del niño

Muchos coincidirán con que el psicoanálisis ha sido –y es- uno de los cuerpos teóricos más importantes para comprender al ser humano en toda su expresión; desde los aspectos más concientes de su proceder hasta las incógnitas profundidades de sus motivaciones inconscientes. Sus formulaciones provocaron mucho revuelo a fines del siglo XIX y principios del XX, por plantear afirmaciones provocativas e inaceptables respecto de la sociedad de ese entonces, como ser la concepción de los niños como sujetos sexuales; y no sólo como tiernas criaturas envueltas en un halo absoluto de inocencia. Si bien hoy, un siglo después de su nacimiento, algunos de sus principios se encuentran cuestionados y en revisión a la luz de los tiempos que corren, existen otros que aún resultan de fundamental importancia para comprender una parte sustantiva de la propia conformación del ser humano, desde su nacimiento hasta la edad adulta. Nos basaremos en algunas de estas formulaciones para poder comprender de manera integral la puesta de límites en relación con el desarrollo emocional del niño. Sin embargo, me gustaría asentar una aclaración: intentar explicar todo en base a una única teoría podría conducirnos a una visión muy sesgada -y hasta equivocada- de la problemática que estamos procurando dilucidar. Es por ello que, en el tema que nos convoca, también debemos servirnos de teorías sociológicas, en la medida en que somos seres sociales viviendo en sociedad y en un contexto cultural que nos determina.

> Décadas atrás, se descubrió que los bebés que sólo reciben cuidados corporales y nada de cariño, tienen posibilidades muy elevadas de fallecer...

Todos tenemos algún grado de conocimiento del proceso que el niño atraviesa desde su nacimiento hasta la vida adulta. Pueden faltarnos saberes teóricos; pero el observar y el vivenciar el desarrollo de los niños que nos circundan –hijos, sobrinos, alumnos, nietos, etc.- nos brindan muchas de las pistas sobre las cuales se basan las teorías. Sabemos que un bebé nace con una absoluta indefensión y dependencia, que requiere total cuidado y atención por parte de otras personas. También sabemos –o deberíamos- que estos cuidados incluyen tanto los corporales (limpieza, cambio de pañal, cuidado de la salud, abrigo...) como los vinculares y emocionales (cariños, caricias, palabras de afecto, abrazos). Décadas atrás, se descubrió que los bebés que sólo –y únicamente- reciben el primer tipo de cuidado (el corporal) y nada del segundo tienen posibilidades muy elevadas de fallecer. Esta revelación se produjo a partir de la observación en hospitales de niños huérfanos, que sólo recibían la atención médica y física necesaria, sin ningún tipo de manifestación afectiva de los cuidadores hacia ellos.

El hecho es que el niño no nace siendo desde el inicio un ser completamente social y mucho menos independiente; aunque sí con el bagaje necesario y la predisposición para serlo. Progresivamente el bebé va incorporando y comprendiendo el mundo social en el que -para bien o para mal- le ha tocado vivir. Y en este proceso también paulatinamente se desarrolla el entendimiento con las personas que lo circundan. Si pensamos en nuestra experiencia, es fácil comprender lo que estamos diciendo. Cuando nuestro niño nace, no comprende nada del mundo y las personas que lo rodean; sólo le interesa expresar y satisfacer sus necesidades (especialmente las de la alimentación); como muchos adultos, con un dejo de frustración, dicen: "sólo come, duerme y hace caca". Pero con el paso de los meses, comienza a mirarnos, a emitir sonrisas, a reaccionar a nuestras caricias y palabras. Para, finalmente, comenzar a entender nuestras actitudes, gestos y solicitudes. Es así que el niño va cerciorándose de cómo funciona el mundo más inmediato a él (cómo comemos, dónde dormimos, cómo nos comportamos) y quiénes lo rodeamos.

> "El niño no nace siendo desde el inicio un ser completamente social y mucho menos independiente. Progresivamente el bebé va incorporando y comprendiendo el mundo social en el que -para bien o para mal- le ha tocado vivir..."

Este proceso, por medio del cual el niño se constituye en un miembro de la sociedad, ha sido llamado "socialización primaria".

Este tipo de socialización no es sólo –ni principalmente- de tipo cognitivo o intelectual, sino básicamente afectivo; puesto que se sirve de la identificación con las personas más significativas para el niño. La socialización primaria se completa cuando el niño interioriza y se apropia de las reglas y normas que rigen para todos. Veámoslo con un ejemplo. Cuando el niño ya se encuentra en condiciones de comenzar a utilizar la cuchara para comer, se le indicará, cada vez que procure hacerlo con la mano, que deberá utilizar el cubierto. El niño también se va percatando de que todos utilizan cubiertos y que no sólo la madre, sino también el resto de la familia, le solicita su utilización. En este proceso, el niño va dándose cuenta de que comer con un cubierto –y no con la mano- es una acción que se encuentra generalizada –y consensuada- entre todas las personas significativas para él. Cada vez irá comprendiendo más cantidad de roles, comportamientos y actitudes, de un nivel de complejidad creciente.

"La socialización primaria se completa cuando el niño interioriza y se apropia de las reglas y normas que rigen para todos..."

Esta socialización también es posible porque, desde la más temprana infancia, los niños se identifican con sus seres más queridos. Es decir, desean ser como el padre o la madre, tomándolos como modelo a imitar. Esta identificación es, en su máxima expresión, de tipo afectiva, puesto que toma como modelos a las personas más importantes para el niño (que pueden ser los progenitores u otras figuras de cuidado). Por supuesto, con un elevado grado de ambivalencia, puesto que bien sabemos que todas las relaciones humanas (especialmente con las personas que más queremos) lo tienen. En el caso de estas identificaciones primeras (o primarias), coexisten sentimientos de ternura y de agresión hacia los progenitores u otras personas al cuidado del niño; recibimos tantos abrazos y besos como mordeduras, patadas, enojos y desplantes rotundos. Lo importante es resaltar que estas primeras identificaciones lo marcarán para siempre. Sobre este argumento insistimos con fuerza a lo largo del libro: debemos ser cuidadosos en relación con lo que hacemos y decimos. Nos guste o no, los niños son atentos observadores de nosotros y se encuentran prestos para copiarnos. Difícilmente podamos ponerles límites si nosotros nos comportamos como si no los tuviéramos; ni podemos exigirles actitudes y comportamientos que difieran, contradictoriamente, de la manera en que nos conducimos los adultos. Por supuesto, no estamos diciendo que debamos restringir nuestros gustos y modificar mucho nuestra propia forma de ser y conducirnos; pero si deseamos obtener determinada conducta en el niño, debemos mostrar las menores contradicciones respecto de ella en nosotros mismos. Distingamos algunos ejemplos. Podemos prohibir tomar alcohol a un púber porque tenemos la convicción de que aún es muy pequeño para beber; que nosotros lo bebamos no implica una contradicción ni un mal ejemplo, porque aquí el argumento que se plantea

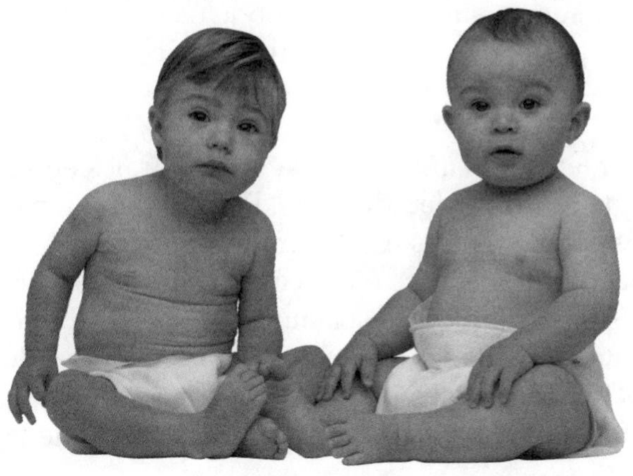

es la disposición de la edad necesaria para hacerlo (y no el hecho de tomar -de vez en cuando o cotidianamente- una copa). Veamos un ejemplo que manifiesta una contradicción. Solicitar al niño que coma verduras y alimentos sanos para el bien de su salud, cuando nosotros ni las olemos (y mucho menos las probamos).

Los niños copian lo bueno y lo malo; se apropian de muchos de nuestros comportamientos, actitudes, movimientos y expresiones. No temamos en exceso que se apoderen de algunos de nuestros defectos. Después de todo, no procuramos niños perfectos, porque además de que no existen, si por si acaso llegaran a parecerlo, deberíamos inquietarnos. Pero sin duda los ayudaremos si intentamos no ser un mar de contradicciones entre lo que les decimos y exigimos y, por otro lado, lo que hacemos. Nos guste o no, somos sus primeros modelos de identificación e imitación, que los marcarán en toda su constitución como personas.

"Los niños copian lo bueno y lo malo; se apropian de muchos de nuestros comportamientos, actitudes, movimientos y expresiones..."

Los primeros seis años de vida son centrales en la constitución de la personalidad del niño. Para esta edad, ya se definieron las características estructurales del carácter, según las experiencias que hasta ese entonces le ha tocado vivir. El proceso que sigue completa la socialización, pero sobre bases ya firmemente apuntaladas, para bien o para mal. En ello radica el énfasis que las teorías ponen en la importancia de los primeros años de vida. Para el posterior desarrollo de la personalidad, es necesario que, durante los primeros años de vida, podamos regular las prohibiciones y las aprobaciones, permitirles entender los motivos de las denegaciones y también proveerles de alternativas. Las frustraciones reiteradas, los castigos, las negaciones infundadas son material proclive al desarrollo de conflictos internos en la vida adulta. Si este proceso en los primeros años se encamina adecuadamente, el niño comprenderá que las necesidades y demandas no siempre se pueden satisfacer, que a veces hay que postergarlas y que, muchas veces, su cumplimiento implica riesgos para sí mismo o para otras personas.

La sociedad y las instituciones acuden en nuestra ayuda

Muchos pueden sentirse preocupados con sólo pensar que el niño los observa atentamente para ser como ellos. No es fácil sobrellevar nuestros vicios e imperfecciones y, para colmo, correr el riesgo de que nuestros hijos se identifiquen con ellos. Posiblemente sea una fantasía temida por muchos padres que sus hijos posean, en su vida adulta, alguna característica o comportamiento que ellos tienen y detestan, y que no logran superar ni manejar. Es que sin duda, es tarea dificultosa ser padres y encima modelos a copiar. Resulta que no sólo estamos nosotros gran parte del tiempo observando a los niños en su cuidado y atención, sino que también ellos destinan interés y

> “No sólo estamos nosotros gran parte del tiempo observando a los niños en su cuidado y atención, sino que también ellos destinan interés y esmero en observarnos...”

esmero en observarnos. Si es un consuelo decir que, al menos, no estamos absolutamente solos en la tarea de construir como un ser social a nuestro hijo, pues digámoslo y dediquemos un apartado a los auxiliares en la difícil tarea de socializar a los niños.

Retomemos algunas cuestiones vistas en el punto anterior y sobre las cuales volveremos más adelante. El bebé nace indefenso y requiere la absoluta atención de otras personas (madre, padre, tíos, abuelos, niñeras...). Otro punto importante es que cuando el niño nace, no puede discriminar entre su propia personita y el mundo exterior. Por cuanto no hay límites entre su yo, el resto de las cosas y las personas, el proceso de socialización del que hablábamos se acompaña de una progresiva diferenciación del "yo" del niño, del resto del mundo y de los otros. Este proceso de formación del "yo" del niño es la experiencia que todos conocemos como "sí mismo", que incluye el reconocimiento del propio cuerpo, de las emociones, de las formas de pensar y de actuar, las debilidades, los temores, y todo lo que se asocie con las sensaciones y vivencias que tienen sobre sí mismos. Lo que también permite este proceso es distinguir el origen de las sensaciones –tanto las placenteras como las displacenteras- que afluyen a su cuerpo. Una de las particularidades de los infantes muy pequeños es la necesidad y el deseo de experimentar fuertes sensaciones de placer, de satisfacción de sus necesidades y de evitar el sufrimiento (o dolor). Estas pretensiones,

"Una de las particularidades de los infantes muy pequeños es la necesidad y el deseo de experimentar fuertes sensaciones de placer..."

presentes en todos los niños, han sido denominadas "Principio de placer". Como adultos que somos, sabemos que eso no es posible; que la realidad se compone de disfrute pero también de pena, ya sea la que proviene de las sensaciones del propio cuerpo (dolor físico), de cualquier estímulo del mundo exterior (por ejemplo, la pérdida de un trabajo) o de las relaciones con otras personas. Tanto los límites que van imponiendo las personas que rodean al niño (sus padres, hermanos, otros familiares o cuidadores) como la propia experiencia de vivir permiten una mutación de ese "Principio de placer" en uno de "realidad", que inevitablemente obliga al niño a aspirar a satisfacciones más modestas, acotadas e incluso a posponerlas; también a tolerar el dolor que la propia existencia –en algún punto o momento de nuestras vidas- implica.

Éste es un punto central que no nos debe conducir a equívocos. No estamos aplaudiendo las insatisfacciones y el dolor que nuestros hijos sentirán en infinidad de ocasiones a lo largo de su vida. Este proceso permite al niño vivir adaptado en una determinada realidad y tolerar los límites y las frustraciones que le destinen el mundo, la vida, las relaciones humanas y el sí mismo. Es un aprendizaje para vivir en comunidad, en convivencia con otros seres humanos que tienen otros deseos, aspiraciones y necesidades. Es importante que ayudemos a los niños a aceptar que no todo se puede hacer, no todo se puede tener y que en muchas oportunidades deberemos esperar para alcanzar lo que queramos o necesitemos. La puesta de límites es central para el desarrollo óptimo del niño. Por más que lo deseemos, no podemos evitar que nuestros niños sufran y tropiecen por la vida. Después de todo, esto es parte del vivir. La sociedad y el ser parte de una comunidad imponen reglas de convivencia y límites en las posibilidades de satisfacer todos nuestros caprichos y necesidades; puesto que cada miembro tiene los suyos y se debe procurar un equilibrio entre lo que la comunidad exige, lo que nosotros queremos y lo que las demás personas quieren. Si este principio de convivencia no se ejercita en el interior de la familia en relación con los miembros que la componen, más dificultoso será para el niño atenerse a los límites que la sociedad y las instituciones le impongan.

> Las instituciones le enseñan al niño cómo insertarse y conducirse en otros ámbitos de la sociedad, diferentes de la familia...

Las instituciones, especialmente la escuela en el caso de los niños, colaboran en el proceso de socialización. Hablamos de una "socialización secundaria", pues se asienta sobre la socialización primaria acontecida en el seno familiar. Los niños no sólo interiorizan las pautas de conducta, las normas y los roles que se juegan en su familia, sino también otras en el interior de las instituciones. Por ejemplo, qué se espera de un niño en la escuela, en relación con su comportamiento, acatamiento de normas y obligaciones, es bastante diferente de las expectativas en el hogar. De algún modo, las instituciones le enseñan al niño cómo insertarse y conducirse en otros ámbitos de la sociedad, diferentes a la familia. Se aprenden, así, otros componentes afectivos, normativos y también cognitivos. Por supuesto que este tipo de socialización no está tan cargado de afectividad como sí lo está la socialización primaria; dado que las relaciones afectivas con los miembros de las instituciones no son tan intensas y significativas como las de la familia. Ni tampoco son de demasiada intimidad; en las instituciones tenemos algunos lazos estrechos, pero también un elevado grado de anonimato. Por ejemplo, puede haber un vínculo cercano entre el alumno y sus maestros y compañeros; pero en la generalidad de la escuela (por ejemplo en relación con los niños de otras aulas, otros turnos, otros maestros), cada alumno es prácticamente desconocido para la gran mayoría.

El psicoanálisis también ha destacado la importancia de la formación de una instancia de regulación en cada una de las personas, que se denomina "conciencia moral". Su funcionamiento se relaciona tanto con la regulación de la exteriorización de los impulsos agresivos de las personas, como también con los sentimientos de culpa. La conciencia moral reconoce la obediencia a las autoridades externas (padres, maestros, leyes sociales, normas de convivencia, etc.) y siente remordimientos ante la persistencia de deseos prohibidos (de agresión, de muerte, transgresión de normas, u otros). Es decir, existe una instancia en cada uno de nosotros que regula y vigila en gran parte nuestras acciones y pensamientos; y que adviene en culpa y arrepentimiento si éstos contradicen a las figuras de autoridad y a sus mandatos. Por supuesto, siendo una formulación del psicoanálisis, su génesis tiene relación directa con los tempranos vínculos de afecto de los niños hacia los progenitores. No nos interesa detenernos en sus deta-

> "La meta de los límites es que éstos sean interiorizados, es decir, que el niño no necesite de manera permanente la figura de autoridad externa..."

lles teóricos sino en su importancia en relación con la puesta de límites. Puesto que justamente la meta de los límites es que éstos sean interiorizados, es decir, que el niño no necesite de manera permanente la figura de autoridad externa (padres, maestros o cualquier otra) para su cumplimiento. Se aspira a un autocontrol, independiente de la presencia física de otro que dice "NO", de la posibilidad de regular cada uno su comportamiento.

Como podemos darnos cuenta, la interiorización de los límites y la socialización son procesos largos y dificultosos. Pero constituyen el camino que cada familia y sociedad –a veces bien y otras no tanto- recorren en la constitución de seres autónomos, sociales y pasibles de convivir con otros.

3. Egocentrismo, baja autoestima y conductas de riesgo en la adolescencia.

Tres de las consecuencias más notables de la falta de límites

Un malentendido probable es pensar que la falta de límites es un problema que se ubica, se enquista, sólo en la infancia. Y albergar la esperanza de que, una vez que el niño crezca, su difícil comportamiento por falta de límites sólo será un mal recuerdo o motivo de anécdotas familiares. En realidad, la falta de puesta de límites a los niños trae aparejada -muy posiblemente- consecuencias que, a lo largo de la vida, le pueden significar un gran monto de sufrimiento y la asunción de riesgos para la salud psicológica y física en la adultez. Pueden resultar también muy afectados los vínculos sociales (en el trabajo, con amistades, con colegas, etc.), generando dificultades a la hora de tener que adaptarse a contextos, situaciones y personas diferentes.

A continuación, vamos a tratar tres de las frecuentes consecuencias de la falta de límites: el egocentrismo, la baja autoestima y la asunción de conductas de riesgo en la etapa adolescente. Por supuesto que cada sujeto tiene algo singular, específico, que en algún punto lo hace distinto de los demás, y que nos obliga a ser cautos en las pretensiones de generalización. De todos modos, se ha constatado que existe una significativa relación entre estas tres problemáticas enunciadas y la falta de límites.

No pretendemos entonces alarmar pero sí despertar un poco de atención. Puede ser que, cuando los niños son pequeños, seamos indulgentes, condescendientes e ilimitadamente permisivos con ellos. Y que este comportamiento nuestro sea una fácil transacción a la difícil tarea de poner límites y sobrellevar todo lo que ello implica: caprichos, llantos, furia, tener que decir que "no" a muchos de los deseos y antojos de los niños. Y, por supuesto, mitigar el cansancio emocional extremo que todo ello nos provoca. La difícil realidad es que las transacciones fáciles en el momento pueden acarrear consecuencias difíciles de resolver en el futuro.

¿Egocéntrico, YO?

Empecemos por lo más simple: por la definición de "egocentrismo". Se suele decir que la persona egocéntrica es aquella que percibe y observa la realidad únicamente desde su propia perspectiva. Le resulta imposible ponerse en el lugar del otro; es decir, carece de la posibilidad de establecer empatía, procurar percibir cómo siente y piensa otra persona. El egocentrismo ocupa un lugar de relevancia en gran parte del desarrollo emocional del niño y prima en dos etapas principales. En la primera, desde el nacimiento hasta el año y medio, cuando el bebé no tiene aún conciencia sobre su propio yo. Y en la

"La persona egocéntrica es aquella que percibe y observa la realidad únicamente desde su propia perspectiva..."

segunda etapa, desde el comienzo de la pubertad y durante la adolescencia, cuando se reactiva el egocentrismo y el joven presenta dificultades para diferenciar los propios pensamientos de los de otras personas (o cree que todos piensan igual que él). Más allá de este *renacimiento* en la adolescencia del egocentrismo que se encontraba superado, el desarrollo emocional del niño hasta alrededor de los cuatro años indica que éste no está preparado para considerar el punto de vista del otro, si difiere del propio. Tiene una particular visión construida desde sus propios intereses y le cuesta identificar que existen otras perspectivas posibles. Pero es a partir de esa edad cuando comienza a comprender de manera más compleja las propias emociones, como también los comportamientos, los afectos, intereses y necesidades de los otros. Así, paulatinamente, va percibiendo que determinadas situaciones provocan determinados estados emocionales (ej., ser castigado provoca tristeza); distingue claramente algunas normas en relación con lo que "está bien" y lo que "está mal"; comienza a compartir con los otros aunque aún no es muy equitativo.

"El desarrollo emocional del niño hasta alrededor de los cuatro años indica que éste no está preparado para considerar el punto de vista del otro, si difiere del propio..."

Una inadecuada cuota de límites y un excesivo egocentrismo devienen en múltiples dificultades, tanto cuando el niño es pequeño, como también en la adolescencia y posteriormente en la vida adulta. Los pequeños que, a falta de límites, se tornan egocéntricos tienden a dominar la organización de la cotidianeidad familiar, según sus propios intereses y necesidades. Prácticamente no tienen tolerancia para aceptar los deseos y necesidades del resto de los miembros de su familia (incluso de los progenitores): definen qué ver en la televisión, qué comer y qué no, entre otros múltiples menesteres. Contribuyen a hacer la vida familiar aún bastante más complicada de lo que ya es. Otro de los rasgos característicos es la pretensión de ser el centro de la escena y llamar la atención casi permanentemente, en cualquier contexto, situación y personas ante las que se encuentre. Esta particularidad es el resultado de una insuficiente educación en normas, horarios de rutina y desarrollo de la capacidad de espera.

> "Los pequeños que, a falta de límites, se tornan egocéntricos tienden a dominar la organización de la cotidianeidad familiar, según sus propios intereses y necesidades..."

Las consecuencias en la vida adolescente y adulta no son pocas. Con respecto a la primera, desarrollaremos, en unas páginas más adelante, una de las manifestaciones más serias: la asunción de conductas de riesgo. Pero también, debemos tener en vista la posible adopción de comportamientos agresivos hacia los otros. La realidad es que los futuros adultos se encontrarán en múltiples circunstancias y con diversas personas que no tendrán ninguna motivación para ser tan indulgentes y tolerantes como han sido sus padres. Por lo tanto, no es de extrañar que la adultez se acompañe de relaciones interpersonales insatisfactorias y conflictivas. Tanto por la incapacidad de tolerar la frustración que implica la puesta de límites por parte de los otros hacia uno mismo, como también por la imposibilidad de respetar los derechos y necesidades de los demás. Las actitudes egoístas que adoptan las personas egocéntricas las orientan a establecer vínculos basados, únicamente, en una perspectiva de la utilidad que las otras personas puedan tener para ellos mismos.

Es importante tenerlo presente: el mundo entero no se rendirá a los pies de nuestros hijos como quizás -equivocadamente- lo hacemos nosotros. Nuestros hijos –como futuros adultos- no podrán aspirar al manejo de las situaciones y de las personas como lo han hecho en el propio núcleo familiar. Una adecuada base de límites durante el desarrollo emocional es imprescindible para el perfeccionamiento de las destrezas sociales, y les permitirá adaptarse al medio, a las diferentes circunstancias y contextos, realizando un buen manejo de las relaciones interpersonales. Pero para ello, es necesario la capacidad de empatía, la comprensión de las normas y reglas, y un control del egocentrismo.

La autoestima

El nivel de autoestima también depende de y se constituye en base a las relaciones -básicamente familiares- y al entorno en donde se produjo el desarrollo del niño. Si bien es una definición que alude al individuo, la autoestima es un concepto sumamente dependiente de los aspectos vinculares y sociales; por la estrecha ligazón que se establece entre ella y el medio y las personas circundantes. Una definición general de "autoestima" refiere al conjunto de valoraciones que tenemos sobre nuestro propio ser y sobre cómo somos; entre éstas, se incluyen tanto los aspectos corporales como los mentales. La construcción de esta imagen interna también se combina con una externa, que refiere a lo que creemos que los otros opinan de nosotros, cómo somos percibidos por los demás. Ambas, imagen interna y externa, a veces concuerdan pero en muchas ocasiones no: tenemos determinada imagen de nosotros mismos, diferente de cómo nos ven los otros. Pero la autoestima también se asocia con la confianza y el respeto; y, por ende, con percepciones y emociones sobre uno mismo. Considero importante que aclaremos que el concepto de autoestima ha sido definido de múltiples maneras; además de que algunos autores también hacen hincapié en su diferenciación con el de "autoconcepto". Sin duda, son dos nociones en íntima vinculación. Lo dejamos planteado, sin intención de enmarañarnos en su distinción y definición, puesto que ello no es el interés central de este libro.

La autoestima también se asocia con la confianza y el respeto; y, por ende, con percepciones y emociones sobre uno mismo...

Lo que sí resulta pertinente plantear es que la autoestima reconoce un proceso psíquico (mental) indispensable, que es la conformación de la "autoconciencia". Ahora bien, ¿qué es y cómo se conforma la autoconciencia? Ésta es un conjunto de procesos psíquicos (mentales y emocionales) que le permiten a la persona tomar conciencia de sí mismo, como un sujeto de actividad, con capacidad de realizar acciones. La conformación de la autoconciencia es parte del desarrollo evolutivo del niño y, de alguna manera, tiene un punto de partida que es la constitución de la "conciencia de identidad", cerca del año de vida, cuando aparece la posibilidad de comenzar a diferenciar las sensaciones del propio cuerpo (del niño) de las provocadas por objetos exteriores.

Recordemos que el bebé no nace sabiendo la distinción entre el propio cuerpo y el mundo circundante; hasta el año de vida rige una suerte de indiscriminación que hace que el bebé perciba todo (claro está, ¡incluida la madre!) como parte de su cuerpo. Por ejemplo, el bebé no distingue entre los estímulos provenientes de su propio cuerpo (como ser un dolor de panza) o los provenientes del exterior (un ardor a causa de un pinchazo para su vacunación). No diferencia entre lo que se provoca desde adentro de su cuerpo y lo que se provoca desde afuera, sean sensaciones placenteras o displacenteras. Esta etapa también se conoce como "egocentrismo absoluto", que es justamente el centrarse en el propio cuerpo y sus acciones, algo que denota la ausencia de una conciencia de "yo"; es decir, la toma de conciencia de sí mismo y la posibilidad de interactuar con el medio y la realidad. Al final de este período, cerca del año y medio, el bebé logra descentrarse y ubicarse como uno más entre otros objetos y personas existentes. Entre los dos y tres años, puede comenzar a utilizar los pronombres personales y decir "yo quiero", "yo no puedo"; es un comienzo de registro de las propias necesidades, deseos, sensaciones y capacidades.

El aumento progresivo de la "conciencia de sí", como diferente de los otros, también se traduce en el querer hacer cosas por su cuenta. Resulta fundamental propiciar condiciones favorables para el desarrollo de la autonomía; de lo contrario, se puede estimular sentimientos de duda y vergüenza. La incipiente autonomía se manifiesta en tres campos: en el propio cuerpo (por medio del control

> Entre los dos y tres años, el niño puede comenzar a utilizar los pronombres personales y decir "yo quiero", "yo no puedo"...

de esfínteres, el progresivo manejo de la cuchara, el interés y placer por caminar, trepar, manipular cosas); en la relación con los objetos (empuja cosas, transporta objetos de un lugar a otro, arma y desarma juguetes); y en las relaciones sociales (aprende a hablar, desobedece órdenes, desatiende pedidos y ofrecimientos de ayuda). No obstante, al inicio de esta etapa necesita cooperación para expresar sus sentimientos, el adulto debe poner en palabras lo que el niño siente; esto le genera seguridad y tranquilidad.

Entre los tres y los cinco años, el niño recibe opiniones, críticas (algunas constructivas y otras no tanto) y apreciaciones sobre sí y sus acciones, que serán determinantes en la conformación de su autoestima. Es decir (y aquí radica nuestra especial atención sobre el tema de la autoestima) es desde el exterior (desde las personas del medio en el cual crece el niño), de donde provienen estos *insumos* que hacen a la comprensión del niño acerca de quién es y cómo es. Y esto es un aspecto central en la autoestima del niño, porque él toma como "real" lo que los otros dicen sobre sí. Si al niño se le dice "eres un burro; la cabeza no te funciona bien", el niño efectivamente creerá en esta sentencia, sentirá y actuará en consecuencia.

> "Otorgar a los niños un contexto de límites claros y bien definidos constituye una forma de expresarles que nos importan y que procuramos todo lo posible para su desarrollo emocional positivo..."

La puesta de límites constituye una de las condiciones que debe estar presente en el vínculo con los hijos, para un desarrollo favorable de su autoes-

tima. Ciertamente, otorgar a los niños un contexto de límites claros y bien definidos constituye una forma de expresarles que nos importan y que procuramos todo lo posible para su desarrollo emocional positivo. Pero es una puesta de límites adecuada al tiempo evolutivo del niño, conjuntamente con otras condiciones, lo que efectivamente permitirá el desarrollo de la autoestima. Estas otras condiciones a las que nos referimos son: la aceptación, el respeto por el niño, el buen trato y el apego a las figuras familiares más significativas. Asimismo, se reconoce el rol preponderante de la institución educativa y los grupos de pertenencia (especialmente el de pares). En cuanto a los dos primeros, la aceptación y el respeto, éstos se basan en el principio de la conformidad con los pensamientos y sentimientos de los niños. Es una manera de dar valor a su existencia y de reconocer que ese otro –aun siendo nuestro hijo o hija- es un ser independiente, distinto a nosotros. Aceptar su forma de ser –incluso cuando difiera mucho de nuestras aspiraciones-, sus decisiones y sus deseos constituye una manera cabal de respetarlo y de contribuir a la necesidad de sentirse alguien en particular, que se distingue en algún grado o en algunas características de los demás. Por el contrario, la violencia, la falta de respeto, las relaciones con una insuficiente manifestación de cariño inciden de manera negativa en la autoestima y en las futuras relaciones interpersonales. Los niños requieren tanto un buen trato como la posibilidad de ser escuchados, de participar en algunas de las decisiones familiares y de poder expresar sus opiniones sin temor a ser juzgados por ellas. Por lo tanto, cuando hablamos de establecer límites no excluimos el afecto; de hecho, ambos –límites y afecto- se complementan. Formar los límites en los niños es una manifestación de amor hacia ellos.

La definición de límites justos, razonables y negociables –esto último, en la medida que sea posible- facilita en los niños el desarrollo de la disciplina y el autocontrol necesarios para conducirse en la vida social. Los límites y normas a cumplir constituyen una suerte de encuadre en el cual el niño siente que tiene parámetros para saber cómo conducirse, tener confianza en su actuación, prever sus consecuencias posibles, y hasta poder evaluar su comportamiento. En última instancia, lo que indica esta manera de conducirse es el desarrollo de la responsabilidad: sobre los propios actos, sus consecuencias y la posibilidad de evaluarlos (y eventualmente, modificarlos). Éste es el camino mediante el cual el niño puede ir progresando en autonomía, confianza y seguridad. Cuestiones claves que hacen a la conformación de una buena autoestima, y a la capacidad de arriesgarse a alcanzar metas, cumplir expectativas y realizar logros, sin paralizarse por estimar que la posibilidad del fracaso lo llevaría al derrumbe emocional. Una adecuada autoestima gesta el deseo de realizar tareas difíciles y querer superarse en la manera de hacer las cosas.

A continuación presentamos un cuadro donde se ilustran algunas de las características de una persona con autoestima adecuada y otra con baja autoestima:

AUTOESTIMA ADECUADA	AUTOESTIMA BAJA
• Autonomía. • Adhesión firme a valores y principios. Respeto por las normas de convivencia. • Respeto hacia sí mismo y las demás personas. • Seguridad y confianza en el juicio propio y en la capacidad de resolver problemas. • Aceptación de las críticas. • Flexibilidad de adaptación, de pensamiento y de acción. • Responsabilidad en los propios actos. • Satisfacción con la propia vida y con las actividades que son parte de ésta. • Identificación y aceptación de los propios sentimientos, buenos o malos.	• Dependencia afectiva (incluso material). • Valores difusos. • Sentimiento de inferioridad. • Hipersensibilidad a las críticas. • Dificultades en las relaciones interpersonales. • Sentimientos de inseguridad e indecisión. • Insatisfacción consigo mismo. • Exagerado perfeccionismo. • Temor al fracaso. • Necesidad imperiosa de ser aceptado y de agradar a los demás. • Excesiva autocrítica. • Irritabilidad latente. 

Estos son rasgos generales que frecuentemente se encuentran en las personas con autoestima adecuada y baja. Pero debemos ser cautos e interpretar la información con cierta flexibilidad. No todas las características se presentan inequívocamente en el tipo de persona correspondiente, y frecuentemente en una misma persona coexisten rasgos de ambas autoestimas. Por más que tengamos una autoestima adecuada, también podemos presentar cierto temor al fracaso, algún grado de necesidad de aceptación y valoración por parte de los demás, etc. Asimismo, en algunos casos, las personas parecieran conducirse en determinados ámbitos de la vida con una autoestima baja y en otros con una adecuada. Pensemos, por ejemplo, en una persona que se desempeña de manera muy segura, placentera y eficiente en lo laboral y presenta, a su vez, muchas de las características correspondientes a la autoestima baja en el plano de sus relaciones afectivas. Lo que sí es característico para evaluar una baja autoestima es que los rasgos que estén presentes tengan cierto grado de rigidez y provoquen malestar emocional intenso.

> “Frecuentemente en una misma persona coexisten rasgos de autoestima tanto baja como adecuada...”

¿Cómo procurar establecer límites y contribuir a la formación de la autoestima?

Entonces, ¿qué hacer concretamente para ayudar a que nuestros hijos desarrollen una autoestima adecuada? Y ¿cómo establecer los límites de manera que ello también facilite la conformación de la autoestima?

- Demuestre cariño y afecto al niño.
- Aprecie y confíe en sus capacidades.
- Escúchelo, exprese interés por lo que dice y transmítale comprensión.

- Mírelo a los ojos cuando él habla.
- Hágalo participar de las decisiones familiares y el establecimiento de reglas.
- Intente negociar aquellas reglas que son factibles de negociación.
- Establezca límites justos y razonables.
- Sea coherente entre lo que dice, hace y exige.
- Respete sus opiniones, decisiones y preferencias.
- Critique sólo de manera constructiva y evite las comparaciones.
- Destaque las características positivas del niño, por sobre las negativas.

Como ya expresamos en varias oportunidades, la puesta de límites no debe constituir una situación de rigidez, tensión y malestar por parte de quien los pone y quien los recibe. Por el contrario, debe ser una experiencia de cariño sustancialmente significativa para un óptimo desarrollo emocional.

Cuando los adolescentes adolecen en demasía por la falta de límites

Con los doce años se va iniciando la etapa de la pubertad y con ella florecen el interés en el sexo y la actividad sexual. Pero también la conflictividad, la tensión y las agitaciones en el ámbito sociopersonal. Constituye una etapa en la cual comienza un aprendizaje destinado a la incorporación progresiva del adolescente como un adulto activo en la sociedad, y en la que la conformación de la identi-

"A los doce años se va iniciando la etapa de la pubertad y con ella florecen el interés en el sexo y la actividad sexual..."

dad -saber quién es, cuál es su lugar en el mundo y en la realidad en la que le toca vivir- va a ser el tema central del desarrollo del joven. Este proceso de adaptación social según las reglas y normas –y en menor medida, responsabilidades-, que en gran parte también rigen el mundo de los adultos, coexiste con tensiones psicológicas que se traducen en agresividad, inestabilidad emocional e irritabilidad. Estado anímico que se acompaña con abruptos cambios físicos que explican las alteraciones y el malestar en el plano psicológico; puesto que comienza una transformación radical y una diferenciación del cuerpo femenino y del masculino, tanto en los caracteres sexuales primarios (órganos reproductores) como en los secundarios (ejemplo: vello facial y cambio de voz, en los varones; ensanchamiento de caderas, en las mujeres). En definitiva, constituye una transición desde la inmadurez física, social y sexual de la infancia a la madurez física, social y sexual de la vida adulta.

En esta etapa también comienzan a tomar centralidad las relaciones íntimas que se desarrollan por fuera del núcleo familiar, especialmente las que se establecen con el grupo de pares, y el propio espacio de privacidad: el estar con uno

mismo. Los vínculos familiares también atraviesan cambios, en la medida en que –progresivamente- los padres se tornan menos indispensables en la vida de los adolescentes, que se encuentran más interesados en pasar tiempo fuera del hogar y en los vínculos extra familiares. Esta nueva situación es necesaria y es parte de la consolidación de la identidad del joven y de la afirmación de su propia autonomía. No obstante, esta construcción de la autonomía se vive con ambigüedad, traduciéndose en la alternancia entre conductas maduras y comportamiento infantil. Suele ser extremadamente desconcertante para los padres comprender estos cambios abruptos, ante los cuales se duda acerca de cómo reaccionar, qué decir o si, por el contrario, conviene callar. Aunque, debemos reconocerlo, entre el comportamiento incomprensible del adolescente, nuestras incertidumbres acerca de cómo proceder y nuestra certidumbre -con algún dejo amargo- de que los hijos están creciendo para dejar de ser *nuestros pequeños*, muchas veces nuestras propias reacciones también son incomprensibles y exaltadamente emocionales.

"Debemos aceptar que los adolescentes se enfrentan a cambios en la forma de percibirnos y de relacionarse con nosotros, que implican conflictos en relación con cuestiones cotidianas..."

Debemos aceptar que los adolescentes se enfrentan a cambios en la forma de percibirnos y de relacionarse con nosotros, que implican: conflictos en relación con cuestiones cotidianas (no necesariamente de un alto nivel de conflictividad); des-idealización de nuestra figura como padre o madre y construcción de una imagen más realista acerca de nosotros; y cuestionamiento de las normas familiares, con argumentos bastantes sólidos y convincentes. En esta etapa, los enfrentamientos y los desacuerdos son bastante frecuentes entre hijos y progenitores; y existen quejas cruzadas sobre los comportamientos de unos y de otros. Si bien este proceso es parte del crecimiento normal del adolescente, se debe procurar que los progenitores no pierdan el control de la situación, cuando los hijos atraviesan este período de gran convulsión. Las implicancias en sus relaciones, en esta etapa de la vida del joven, estarán definidas por las características de las pautas de crianza y los vínculos afectivos en el interior de la familia. Es decir, por el establecimiento de límites, el respeto, el cuidado emocional y físico, pautado a lo largo de la vida. Lo que resulta de suma importancia destacar es que si nuestros hijos han llegado a esta instancia de su crecimiento con una baja autoestima y con falta de límites (o límites endebles) presentarán –muy probablemente- importantes dificultades en el desarrollo de su afectividad, de sus relaciones interpersonales, en la asunción de responsabilidades, y en la propia seguridad psicofísica.

"La adolescencia supone la reaparición de un egocentrismo que se caracteriza por la dificultad de diferenciar entre los propios pensamientos y los de otras personas..."

Esta etapa también supone la reaparición de un egocentrismo que se caracteriza por la dificultad de diferenciar entre los propios pensamientos y los de otras personas. O pensar que los demás están tan preocupados por sus asuntos personales como él mismo (como si todos estuviesen pendientes de él: cómo viste, cómo se ve, cómo se comporta, etc.). Muchas veces, de manera intempestiva e inesperada, ellos nos malinterpretan, otorgan significados a nuestras miradas, palabras, que no teníamos ni la menor intención de expresar. Es que el más mínimo gesto, comentario o solicitud puede ser cargado de significaciones subjetivas y resultar así sumamente trascendente, cuando para nosotros constituye un mínimo detalle banal. Realmente, los adolescentes tienen una gran capacidad para desconcertar en el momento en el que uno menos lo espera. Otra particularidad que se presenta en ellos, pero de la cual no siempre nos enteramos porque en gran parte es un proceso interno, íntimo, o mayormente compartido con los pares, es lo que se denomina "fábula personal": pensar que sus experiencias son únicas, que no se gobiernan por las mismas reglas que rigen para los demás y que nadie ha experimentado lo que ellos sienten. Esto presenta una especial importancia, puesto que puede derivar en conductas riesgosas para sí mismos a partir de la existencia de sentimientos de invulnerabilidad y asunción de comportamientos riesgosos en el sexo o en las actividades deportivas. La necesidad de experimentar nuevas sensaciones –conjuntamente con los efectos de este egocentrismo al que hemos aludido- puede conducir a la adopción de comportamientos antisociales. La tentación de probarse a sí mismos, transgredir y desafiar –características propias de la etapa adolescente- presenta sus riesgos si

"La tentación de probarse a sí mismos, transgredir y desafiar -características propias de la etapa adolescente- presenta sus riesgos si no se cuenta con el acompañamiento afectivo y la puesta de límites por parte de los adultos..."

no se cuenta con el acompañamiento afectivo y la puesta de límites por parte de los adultos.

No obstante, debemos procurar ser cuidadosos en la forma de interpretar esta información, puesto que corremos el riesgo de pensar que los jóvenes adolescentes constituyen una suerte de *inadaptados,* cuando en realidad estos procesos son parte de la propia constitución social y subjetiva de todo sujeto que transita desde la niñez hacia la adultez. Toda perspectiva y valorización estigmatizadora de los jóvenes y la juventud adviene en la construcción de una identidad negativa. Debemos tener presente que en esta etapa también se desarrolla la empatía (capacidad de entender la emoción que alguien está experimentando y participar de su vivencia), se comienza a juzgar los comportamientos a partir del bien colectivo -y no tanto desde sus propias necesidades y deseos-, y también se consolidan los comportamientos prosociales. Por supuesto, todo lo que estamos enunciando –en este párrafo y en los anteriores- forma parte de un desarrollo dentro de los parámetros de lo esperable; aun cuando algunas de las características que hemos comentado nos resulten dudosas en tanto parte de un comportamiento saludable (como la asunción de conductas de riesgo, la irritabilidad y las conductas antisociales). La alteración en este desarrollo saludable del niño se explica menos por condiciones hereditarias y genéti-

“Debemos tener presente que en la adolescencia también se desarrolla la empatía (capacidad de entender la emoción que alguien está experimentando y participar de su vivencia)...”

cas –ya sean científicas o populares como la frase "mi hijo nació así..."- que por la influencia del medio ambiente social y familiar. Es en este punto y por esta razón que volvemos a insistir sobre la puesta de límites, dado que es –en gran medida- el punto de partida para todo el desarrollo socioafectivo y social del niño y del futuro adulto.

Este momento de la vida de nuestros hijos es, probablemente, uno de los más difíciles de manejar y que mayores incertidumbres y estrés nos genera. Requiere de nuestra parte bastante control de la situación pero manteniendo, a su vez, cierto grado de flexibilidad. En esta etapa, los chicos necesitan de manera imperiosa una base segura sobre la cual erigirse como sujetos autónomos, debido a que presentan fuertes oscilaciones entre seguridad e inseguridad, entre optimismo y pesimismo, entre comportamiento maduro e infantil. Esta base requiere reglas claras y razonables, tal como sucede en otros períodos de la vida. Que sean sensatas y adecuadas a las necesidades evolutivas de los adolescentes; es decir, reglas que puedan ser negociadas, moderadamente taxativas, flexibles y que sólo remitan a cuestiones verdaderamente importantes. En este sentido, las más relevantes refieren a las que limitan en cuanto a los comportamientos que pueden implicar daño para el joven o para los otros, u ofensa y violación de los derechos de los demás. La precisión de las reglas puede constituir un amortiguador importante en las frecuentes discusiones entre padres e hijos, además de garantizarles los límites de actuación que los guían, brindándoles cierto grado de seguridad.

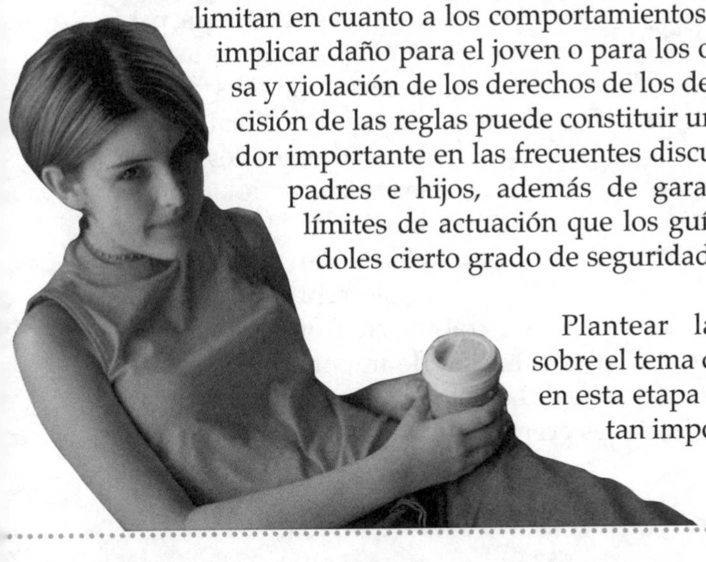

Plantear la discusión sobre el tema de los límites en esta etapa de la vida es tan importante como cuando el niño tiene una muy corta edad. Los adolescentes presentan determinadas características que hacen a la necesidad de limitarlos y contenerlos. Tal como ya comentamos, esta etapa se caracteriza tanto por la asunción de conductas de riesgo, como por el sentimiento de invulnerabilidad, por la necesidad de vivenciar nuevas experiencias y de sentirse con plena libertad de pensamiento y de acción para constatar sus propias capacidades. Estas conductas pueden derivar –si no existen límites adecuados- en problemáticas tales como: abuso de alcohol, tabaco o drogas, comportamientos sexuales de riesgo, accidentes y traumatismos, conductas violentas, entre otras. Establecer límites a los jóvenes para ayudarlos a desarrollar su propio control interno no significa que ellos mismos –los jóvenes- sean objeto de críticas, descalificación y juzgamiento. De hecho, de lo que se trata es de generar espacios de confianza entre progenitores e hijos, de tal manera que nos aseguremos respetar sus opiniones, gustos y espacios íntimos. Es verdad que es difícil, porque las actitudes, los gustos, las formas de vestir, la música y otras predilecciones de nuestros hijos adolescentes -por lo general- se confrontan a las nuestras. Sentimos una gran tentación de imponer nuestras propias preferencias y de validar sólo nuestros gustos y elecciones; y de dar lecciones acerca del buen proceder. Intentemos

"Plantear la discusión sobre el tema de los límites en la etapa adolescente es tan importante como cuando el niño tiene muy corta edad. Los adolescentes presentan determinadas características que hacen a la necesidad de limitarlos y contenerlos..."

poner un tope a nuestras exigencias e imposiciones. Por una vez en la vida, procuremos regular la cantidad de nuestros *sabios consejos* para poder escuchar, más que sermonear.

Pensar y preocuparse por el establecimiento de límites desde la infancia hasta la adolescencia es la vía más productiva para prevenir problemáticas de envergadura desde la pubertad y durante la vida adulta de nuestros hijos. Las estrategias destinadas a prevenir los daños y las conductas de riesgo en los jóvenes requieren la combinación de límites con el fortalecimiento de factores considerados como "protectores" y la neutralización de los factores y circunstancias de riesgo. Pero también, a su vez, incentivar la identificación de los rasgos personales positivos, que permiten la constitución de una autoestima positiva basada en logros, la capacidad de enfrentamiento de problemas, la asunción de responsabilidades, la toma de decisiones y la previsión de problemas y consecuencias.

> Pensar y preocuparse por el establecimiento de límites desde la infancia hasta la adolescencia es la vía más productiva para prevenir problemáticas de envergadura desde la pubertad y durante la vida adulta de nuestros hijos...

Lo sabemos: no es tarea sencilla alcanzar este desarrollo emocional, social y afectivo. Mucho menos en una realidad cotidiana que implica retos permanentes y un elevadísimo nivel de incertidumbre en el día a día y en relación con el futuro. Para nosotros, como padres, no es fácil. Para los jóvenes tampoco. Asistimos a un momento histórico en el cual el desarrollo autónomo de los individuos, la integración en el mundo del trabajo y hasta los derechos universales de inserción en el sistema educativo y de satisfacción de las necesidades básicas se encuentran profundamente socavados. Es también misión de los docentes diseñar estrategias que eviten la deserción adolescente en las escuelas y favorezcan su permanencia satisfactoria, orientándolos a identificar las capacidades y recursos de los que disponen para construir un proyecto de vida. Tanto la escuela como la familia son las dos instancias de socialización y de contención más importantes para el buen desarrollo del niño, del joven, del futuro adulto.

4. Los límites

Los límites necesarios según las etapas evolutivas de crecimiento

Una de las cuestiones que nos debe exigir mayor racionalidad a la hora de instaurar límites es evaluar qué límites poner según la edad o etapa evolutiva del desarrollo de los niños. Debemos procurar asegurarnos de que lo que les estamos demandando pueda ser cumplido. Es una equivocación frecuente pensar que hay que establecer todos los límites desde el inicio para que el niño "vaya aprendiendo desde temprano". La realidad es que si exigimos que los niños hagan o no hagan determinadas cosas en una edad inadecuada para tal petición, estaremos generando un gran monto de angustia y frustración; tanto en nosotros como en los pequeños, por la imposibilidad de cumplir con nuestras expectativas. Por lo tanto, vamos a señalar algunos de los límites más importantes para establecer, según el momento de la vida de los niños.

Como ya dijimos anteriormente, el primer año de vida –desde que nace hasta cumplir el año aproximadamente- es la etapa que mayor flexibilidad y adaptabilidad requiere por parte de los padres. Especialmente las primeras semanas, cuando son éstos los que se acomodan casi en su totalidad a los horarios y necesidades de los bebés. Este período -caracterizado por el predominio absoluto del cuidado corporal, la higiene y la contención afectiva- paulatinamente con el paso de las semanas va tomando determinado ritmo y orden en,

> El nacimiento del bebé y sus primeros cuidados suelen resultar bastante estresantes, especialmente para madres y padres primerizos...

por ejemplo: los horarios de amamantamiento, mamadera, paseo, baño, estar en la cuna o en el comedor, etc. Poco a poco, la rutina que se establece con el bebé se va integrando a la del resto de los miembros del hogar. Por supuesto que ésta registra modificaciones con la llegada del nuevo miembro a la familia. En este período, la instauración de una rutina cotidiana es una especie de antesala a la puesta de límites que vendrá más adelante. Constituye, ya, una manera de ir pautando cómo y en qué horarios se deben realizar determinadas acciones (como dormir, higienizarse, dónde comer, etc.). Este ordenamiento le irá permitiendo al niño acomodarse en un contexto con cierto grado de previsibilidad en el devenir cotidiano. Éste es un aspecto central para desarrollar la sensación de seguridad en los niños.

Si bien el nacimiento de un bebé y sus primeros cuidados suelen resultar bastante estresantes –especialmente para madres y padres primerizos-, el período más crítico de la evolución del niño (claro está, sin olvidarnos de lo que se viene en la adolescencia...) es desde pasado el primer año y hasta los tres. Lo que resulta tan difícil en esta etapa evolutiva es una serie de comportamientos que el niño asume, y que forman parte de la propia constitución de su persona (de su propio yo) como independiente del resto de los adultos. Entonces, aparecen características tales como: desafío a los padres, omnipotencia, negativas (predomina el "no" ante cualquier solicitud y ante el ofrecimiento de ayuda para realizar alguna tarea), oposición, egocentrismo (prima de manera absoluta la intención de satisfacer los propios deseos), y baja tolerancia a la frustración. Es un período realmente muy difícil porque la puesta de límites y la resistencia de los adultos a satisfacer los deseos de los niños provocan en ellos reacciones tales como: berrinches, llanto intenso; y hasta mordidas y patadas al adulto que se niega a su petición. No es extraño que en esta etapa se susciten algunas dificultades vinculares entre progenitores e hijos por la lucha que, de manera frecuente, se entabla entre ambos. Pero, lamentablemente, es una etapa central en relación con la puesta de límites, al menos por dos razones. La primera, porque es el momento de pleno desarrollo del yo del niño: se empieza a percibir como una persona diferente de sus padres, con propias sensaciones, deseos, gustos, motivaciones, carácter, etc. Entonces es central en este proceso ir marcándole qué está bien y qué mal, qué está permitido y qué no, qué perjudica y qué beneficia a otras personas, qué es seguro para sí mismo y qué no. De estas enseñanzas y límites –de su existencia o ausencia- dependerá en gran parte en qué tipo de persona se constituirá, qué cuidado tendrá de sí mismo y de los demás. La segunda razón por la que es importante la puesta de límites en esta etapa es porque prima un interés absoluto por satisfacer los deseos e

“Después del primer año y hasta los tres es un período realmente difícil porque la puesta de límites y la resistencia de los adultos a satisfacer los deseos de los niños provocan en ellos reacciones tales como: berrinches, llanto intenso; y hasta mordidas y patadas al adulto que se niega a su petición...”

imponer la propia necesidad. Los niños harán lo imposible para obtener eso que desean (golosinas, dormir en la cama de los padres, prender el televisor a cualquier hora, entre las más frecuentes). Es el momento para marcarles que en la vida no podemos satisfacer la totalidad de nuestros deseos, que debemos tolerar la frustración que ello implica, y aceptar que nuestras aspiraciones, intenciones y necesidades coexisten con las de otras personas, cuyos propios deseos se oponen a los nuestros. Que muchas veces se excluyen y que, por lo tanto, debemos resignarlos.

¿Cuáles son los principales límites para establecer en esta etapa? En primer lugar, los límites que hacen referencia al cuidado de los niños. Es decir, impedir conductas o comportamientos que puedan dañar al niño o que impliquen riesgos para su seguridad. Como por ejemplo, estar hasta altas horas de la noche en la calle, jugar con objetos (o en lugares) peligrosos, la ingesta excesiva de alimentos que pueden ser perjudiciales para la salud (gaseosas, golosinas), etc. En segundo lugar, cuestiones referentes a una rutina de horarios, especialmente de comidas y de descanso. Y en tercer término, las pautas de cuidado corporal, como hábitos de higiene cotidianos. Estos límites permiten tanto la interiorización de un orden y una rutina en la vida cotidiana de los niños y el establecimiento de pautas de autocuidado, como también la inculcación de los valores que cada familia porta. Es decir, no sólo se tratará de reglas a cumplir y de disciplina; sino también de transmitir los valores éticos y las creencias que porta la familia acerca de cómo vivir, cómo pensar en varios de los órdenes de la vida y cómo conducirse en la sociedad.

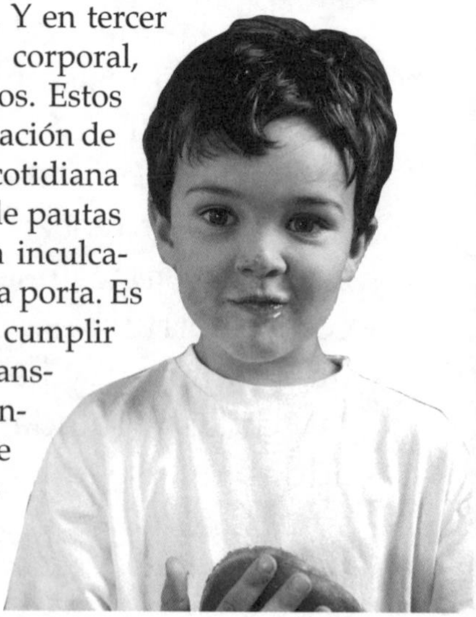

Entre los tres y los cinco años, adquiere cierta centralidad el interés por la sexualidad y por el conocimiento de los cuerpos...

Para cuando los niños cumplieron los tres años, si hubo una adecuada puesta de límites anteriormente, nuestros pequeños volcanes –me refiero a los niños- ya no estarán en plena erupción, aunque sí en actividad. Sólo más tarde, con el despertar de la pubertad, deberemos nuevamente prepararnos para *batallar* otra difícil etapa. Entre los tres y los cinco años, adquiere cierta centralidad el interés por la sexualidad y por el conocimiento de los cuerpos. Aún priman en los adultos contemporáneos viejos resabios de rechazo y no aceptación de la "sexualidad infantil", en la que tanto hincapié ha hecho el psicoanálisis. Pues no se trata de sancionar y reprimir una curiosidad natural y legítima, pero sí de aprovechar el momento para delimitar entre las cuestiones que son parte de la intimidad y cuáles pueden ser del orden de lo público; puesto que una particularidad es que aún los niños de esta edad no han desarrollado el sentimiento de pudor. Desde los 6 años en adelante (hasta la pubertad), se supone que los niños ya han interiorizado límites y pautas de conducta. Comprenden bastante bien qué pueden hacer y qué no, y los motivos de ello. En esta etapa ya son más razonables, entienden las relaciones de causalidad y pueden asumir distintas perspectivas para comprender una situación compleja. Por tanto, resulta bastante más fácil que comprendan el porqué de los límites y las reglas. Por otra parte, en esta etapa de la vida también acompaña la institución educativa en el proceso de establecer límites y desarrollar el autocontrol en los niños. Gran parte de la rutina cotidiana de los niños está organizada en torno a su escolaridad, y una parte importante de los límites tendrá que ver con las relaciones interpersonales con los pares, con los maestros, y con la asunción de determinadas conductas en el establecimiento educativo y en otros espacios extra familiares. Volveremos más adelante sobre el rol de la escuela y los docentes en la puesta de límites en esta etapa de la vida.

Sintetizando y clarificando: ¿qué límites es importante establecer en el desarrollo de los niños?

En el cuadro que sigue a continuación, les proponemos qué límites, a lo largo de la vida del niño, es verdaderamente importante establecer. Recordemos, siempre debemos graduar nuestro nivel de exigencia y respetar las posibilidades de los niños de cumplir con los mandatos que les requiramos.

LÍMITES ESENCIALES

- No permitir juegos, juguetes, acciones, conductas y lugares de permanencia, que puedan socavar la seguridad física del niño. Se deben establecer reglas que ayuden a prevenir situaciones peligrosas: dónde se puede jugar, con qué objetos o juegos, hasta qué horario, qué se puede hacer y qué no.

- Exigir las obligaciones y conductas que refieren al cuidado de la salud, como por ejemplo: visitas periódicas al médico que corresponda; vacunación; ingesta de medicamentos o realización de tratamientos, ambos indicados por el médico; visita al odontólogo; etc. Si el niño se niega por temor, se le debe explicar de manera clara en qué consistirá la visita y que es imprescindible cumplir con ello para su propio bienestar.

LÍMITES ESENCIALES

- Hábitos de higiene básicos: lavado de dientes, de manos, baños (la frecuencia estará determinada por los patrones culturales de la familia y de la comunidad en la que vive, como también por la disponibilidad de agua y de un lugar adecuado para la higienización).

- Espacios y horarios de descanso, sueño y alimentación: establecer un horario en el cual debe irse a dormir, la utilización de la propia cama. Existen estrategias como el cuento antes de dormir o dejar un velador encendido para mitigar el temor a la oscuridad y a quedarse solo.

- Obligaciones y normas de convivencia familiares.

- Discriminar y establecer qué espacios, momentos y objetos pueden compartir adultos y niños; y cuáles son de dominio exclusivo de los mayores (implique o no riesgo para los niños).

- Determinar algunas normas de conducta referidas a las relaciones interpersonales: no ofender a las otras personas, no golpear, no dañar sus pertenencias, etc.

- Establecer una rutina que respete y cumpla con las actividades de la escuela, que por lo general limita otras de preferencia para los niños (ej. tiempo para realizar los deberes sin poder mirar la televisión). En este caso, se debe procurar compaginar tanto las obligaciones como los intereses del niño (por ejemplo, puede realizar sus tareas en un horario diferente al de su programa favorito).

¿Cómo poner límites?

En varias oportunidades ya comentamos las características básicas que deben tener los límites. Vamos a recordarlas nuevamente. Los límites deben ser claros, firmes -en relación con la actitud del adulto y la exigencia de su cumplimiento- y coherentes con la forma en que nos manejamos los adultos. (¡Cuántas veces hemos asistido a la triste escena en la cual un adulto con un cigarrillo en la mano le indica a un adolescente que no fume porque es perjudicial para su salud!). Deben, además, ir acompañados de explicaciones cortas. También advertimos sobre la importancia de que ambos padres estén de acuerdo y no se contradigan mutuamente delante del niño. Puesto que si éstos no parecen estar de acuerdo, el niño considerará que el límite no debe ser lo suficientemente importante como para cumplirlo, y sólo se sumará confusión.

> “Al aplicar un límite es importante que ambos padres estén de acuerdo y no se contradigan mutuamente delante del niño...”

Una primera cuestión que debemos tener en claro es qué le estamos solicitando al niño y con qué grado de precisión lo estamos haciendo. Muchas veces, hacemos requerimientos muy generales y vagos tales como "pórtate bien", "no te portes mal", "no hagas eso". El niño necesita precisiones: ¿qué es portarse bien?, ¿qué mal?, ¿qué no se debe hacer? Estas expresiones son muy generales y admiten –como ya se habrán podido percatar- una multiplicidad de significados. El niño debe casi adivinar qué se le está solicitando; si es que los adultos efectivamente saben qué están requiriendo. Porque también sucede frecuentemente que no sabemos qué pedimos. Las expresiones entonces deben ser concisas, por ejemplo: "no te acerques al horno", "no te subas con los zapatos a la cama", "guarda los juguetes". Además de solicitar claramente qué comportamiento esperamos de ellos, debemos acompañar la solicitud con una breve (sí, "breve") explicación de por qué realizar, o no, determinada conducta. Entonces, "no te subas a la cama con los zapatos, porque se ensucian las sábanas", "no te acerques al horno, porque está encendido y si lo tocas te podrías lastimar". El tono de la indicación debe ser firme pero cariñoso. La firmeza en la puesta de límites no es una tiranía, sino una manifestación de cuidado. Si el tono de voz y la mirada son demasiado dóciles, se corre el riesgo de que el niño interprete que tiene la posibilidad de no obedecer. De todos modos, no hay necesidad de gritar, de enojarse ni de pelearse con el niño. Lo que sí es necesario es que la orden se haga cumplir, especialmente las que indicamos como fundamentales en la evolución del niño. Podemos ser más flexibles con aquellas de menor valía o bien, en caso de que fuera posible, ofrecer alternativas para su cumplimiento. Esta estrategia es de suma importancia porque generalmente el niño no realiza un berrinche cuando se le da a elegir, por ejemplo: "¿qué fruta deseas comer, banana o manzana?; ¿quieres bañarte en la bañera o con la ducha?" Una vez que los niños decidan, debemos cumplir con su elección. Es la manera de transmitirles que respetamos su elección y su autonomía.

Puede ser que, pese a nuestra tranquilidad, dulzura y flexibilidad, los niños no obedezcan. Definitivamente lo que no debemos hacer es entablar una pelea con ellos. No es una competencia entre progenitores (u otros adultos) y niños, ni tampoco éstos son enemigos a vencer. Por sobre todas las cosas, no podemos hacerlo porque debemos comportarnos como adultos. Los niños necesitan adultos que se comporten como tales. Eso les da seguridad. Un progenitor que tiene reacciones infantiles y que discute "a la misma altura y en los mismos términos que un niño" no constituye un buen modelo identificatorio para él; ni puede transmitirle confianza y seguridad, centrales para la evolución psicoemocional de nuestros hijos. En caso de no obedecer, se debe esperar muy pocos minutos –es decir, dar un margen de tiempo- y repetir la indicación, acompañando al niño a realizarla. Si se le solicitó que guarde sus juguetes, se lo toma de la mano (sin zarandearlo, aunque se tengan ganas de hacerlo) y se lo lleva hasta donde se encuentran los juguetes y se le indica la orden nuevamente. La insistencia firme –sin una particular verborragia- hará que el niño desista de oponerse. Lo que no podemos hacer es dejar el proceso a medio camino: una vez que dimos la orden, debemos seguir hasta que se cumpla. Podemos flexibilizar la situa-

"Un progenitor que tiene reacciones infantiles y que discute "a la misma altura y en los mismos términos que un niño" no constituye un buen modelo identificatorio para él..."

ción de manera tal que, cuando comenzó a recolectar los juguetes, nosotros lo ayudemos. Una vez que obedezca –aun cuando ello haya costado mucho trabajo y por poco nuestra paciencia- debemos elogiar su conducta (ej. que haya ordenado sus juguetes) y realizar expresiones de afecto: decirles que estamos orgullosos, darles un beso o acariciarles la cabeza. Es sumamente placentero verificar en sus caras el bienestar que ello les provoca. También es la oportunidad para decirle al niño cuáles son las reglas, puesto que es el momento en que está calmado y puede comprender el sentido de nuestras exigencias.

> Es importante que nunca condicionemos nuestros sentimientos a la conducta de los niños. Son muchos los padres que dicen "si te portas mal, mamá no te va a querer más". En ningún momento se debe desaprobar al niño, ni amenazarlo con nuestros sentimientos hacia él...

Por último, es importante que nunca condicionemos nuestros sentimientos a la conducta de los niños. Son muchos los padres que dicen "si te portas mal, mamá no te va a querer más". En ningún momento se debe desaprobar al niño –con expresiones tales como "eres malo"- ni amenazarlo con cambiar nuestros sentimientos hacia él. Esto no sólo no contribuye a poner límites sino que dificulta el sentimiento de seguridad de los niños y, por ende, su desarrollo afectivo. Sin duda, este tipo de recurso es tan inapropiado como el castigo físico severo.

Recapitulando:

Sí debemos	No debemos
• Especificar claramente lo que se solicita al niño y explicarle brevemente el porqué. • Utilizar un tono de voz firme y seguro. • Asegurarnos de que la orden se cumpla. • Ser flexibles y otorgar alternativas de elección, siempre y cuando no se ponga en juego la seguridad y el bienestar del niño. • Elogiar los buenos comportamientos o la realización de la conducta esperada. • Desaprobar conductas y comportamientos.	• Dar órdenes muy generales y vagas. • Gritar, insultar, ni pelear con el niño. • Apelar frecuentemente a: "porque lo digo yo", "acá se hace lo que yo mando". • Ser extremadamente rígidos en situaciones que no lo ameritan (se corre el riesgo de ser "irrazonables"). • Amenazar, agredir, enojarse en exceso, tratar bruscamente al niño. • Condicionar nuestro afecto, presencia y cuidado a la obediencia del niño. • Desaprobar al niño, a su persona.

El difícil arte de manejar los berrinches

No son pocas las veces en las que los niños se comportan de una manera que –a nuestro comprender- parece irrazonable y absolutamente fuera de control. Hay dos momentos evolutivos en los cuales estos comportamientos suelen ser muy frecuentes: entre el año y medio y los tres; y sólo nuevamente en la pubertad y la adolescencia. Por supuesto, no nos podemos manejar, ni esperar de nuestros hijos lo mismo en una y otra etapa evolutiva. Veamos cómo proceder en el caso de los pequeños y volvamos al apartado en el cual hablamos sobre los hijos adolescentes para poder comparar cómo debemos conducirnos en uno y otro caso.

Cuando el niño se encuentra entre los dos y tres años (incluso a veces hasta los cinco años) es frecuente que se sucedan conductas que a nuestro entendimiento parecen irrazonables (cambios bruscos de humor, insatisfacción y desconocimiento de lo que desean en un momento en particular, entre otras tantas que ustedes seguramente verifican día a día) y que de manera frecuente derivan en un comportamiento incontrolable. Durante estos episodios, el niño no puede comprender ni lo que le estamos solicitando en ese momento –por lo general, lo que solicitamos es que se calme- ni los motivos por los cuales lo hacemos. Ni siquiera él sabe por qué se comporta de tal manera. Acompaña esta irracionalidad con conductas como tirarse al piso, llanto intenso y gritos. A este comportamiento se lo denomina "berrinche". Si bien es un comportamiento que angustia mucho a los padres y les genera mucha zozobra cuando sucede en público, no obstante es normal dentro de la etapa evolutiva que se encuentra atravesando el niño. Recordemos que es un período de negamiento

"Cuando el niño se encuentra entre los dos y tres años es frecuente que se sucedan conductas que a nuestro entendimiento parecen irrazonables y que de manera frecuente derivan en un comportamiento incontrolable..."

y oposición, debido a que el niño está aprendiendo a diferenciarse como una persona independiente y diferente de los padres. Pretenderá, con todo ímpetu, ejercer su voluntad y dominio. Por esto mismo, es un momento clave para el establecimiento de los límites. ¿Cómo conducirnos ante estas situaciones?

> Los "berrinches", si bien son un comportamiento que angustia mucho a los padres y les genera mucha zozobra cuando sucede en público, son normales dentro de la etapa evolutiva que va desde los dos a los tres años...

Cuando el niño tiene un berrinche, debemos procurar ponernos a su mismo nivel de estatura (es decir, agacharnos -aunque nos duelan horrores las rodillas-), mirarlo a los ojos y preguntarle qué le sucede. Muchas veces sólo es necesario esto: acompañarlos y darles la seguridad de que estaremos con ellos. Puede ser que en el lapso de pocos minutos la situación de angustia cese, una vez que ha descargado su malestar, sintiéndose seguro y sostenido por el adulto que lo acompaña. Uno no necesita estar sobre el niño cuando sucede el berrinche, pero sí cerca y prestándole atención. Sin lástima, sin remordimiento y sin enojo. También es conveniente que se aleje al niño del lugar de donde se originó el berrinche. Especialmente, si es un sitio donde hay mucho bullicio y gente, dado que ello sólo contribuye a generar mayor malestar y tensión. En caso de que aun así el niño no ceda, se le debe pedir explícitamente que se detenga –de manera firme y concisa-, explicándole brevemente el porqué del pedido. Debemos tener presente que cuando el niño está angustiado, su pensamiento está obnubilado.

Pese a que culturalmente se suele hacer lo contrario, no debemos impedirle al niño llorar o solicitarle que deje de hacerlo. El llanto permite liberar la tensión y la angustia que lo oprimen. Hay que acompañar, más que intentar callarlo.

Lo más difícil de los berrinches no es calmar a los niños, sino mantener la calma nosotros, los adultos. Es muy común que los padres reaccionen con enojo, sean bruscos en el manejo físico de los niños y, en caso de pérdida de control, que agredan física y/o verbalmente. Si estamos a punto de descontrolarnos, más bien alejémonos unos metros, contemos hasta diez y recuperemos el pensamiento, para frenar los impulsos de los cuales luego nos arrepentiremos. Nuestro descontrol, nuestras expresiones de impotencia y frustración ante la situación angustian y desesperan aún más a los niños. Una vez que ambos estemos calmados, debemos explicarles que no pueden comportarse de tal manera y las razones por las cuales no pueden hacerlo. De manera firme, breve y absolutamente calma. Otra manía que debemos superar: no darle vueltas al tema eternamente. Tenemos la mala costumbre de sostener el malestar por largos períodos, generando culpa en los niños por lo mal que nos sentimos. Los niños son extremadamente sensibles a nuestra angustia, y esto les provoca gran desazón. Por el contrario, debemos procurar, apenas finalizado el berrinche -y habiendo aclarado al niño que no debe realizar ese tipo de

comportamiento-, distraerlo con otra actividad o una conversación que le resulte gratificante. Una vez que el niño esté restablecido y tranquilo, debemos elogiar la forma en que se está comportando y expresarle nuestro afecto.

Que procedamos bien en la manera de manejar la situación de berrinche no significa que vayan a desaparecer. Y en parte, -como ya dijimos- porque es un comportamiento esperable en esta etapa evolutiva y parte de su desarrollo. Debemos ser claros al respecto: el berrinche no es algo que el niño hace para agredirnos y fastidiarnos, es una manera de diferenciarse de nosotros, de ejercer su voluntad y de descargar tensión. Controlar de manera adecuada la situación ayuda a construir la propia seguridad e independencia de nuestros hijos, y la interiorización de los límites. De ahí su importancia capital.

“El berrinche no es algo que el niño hace para agredirnos y fastidiarnos, es una manera de diferenciarse de nosotros, de ejercer su voluntad y de descargar tensión...”

Queda claro que no podemos sortear el acontecimiento de los berrinches, en tanto que es una instancia del proceso evolutivo. Pero sí existen algunas prácticas muy sencillas que podemos realizar y que previenen –sin duda- el desencadenamiento de muchos de ellos. Cuando los niños son muy pequeños –incluso desde bebés- son muy sensibles a los cambios, especialmente a los repentinos. Es, entonces, importante anticiparle al niño qué actividad realizaremos a continuación de lo que estemos haciendo. Por ejemplo, “luego de que terminemos de desayunar, iremos al supermercado”; “en unos minutos tienes que juntar los juguetes porque tienes que irte a bañar". Si bien los niños pequeños no comprenden demasiado las referencias temporales, este tipo de aviso les permite proyectarse en un cambio de actividad y –por ende- disponerse mentalmente para ello. Otra cuestión que resulta de suma utilidad es anticiparles cómo se deben comportar en el sitio al cual irán y qué sucederá; por ejemplo, "vamos a ir al médico y te va a revisar para comprobar que estás bien de salud. Seguramente te sacará la remera, te escuchará el corazón, mirará tu boca..."; "vamos al supermercado pero no compraremos golosinas. Deberás acompañarme sin solicitar que te las compre". Una tercera sugerencia es permitirle al niño escoger entre al menos dos opciones, puesto que esto le da una sensación de dominio de la situación y le transmite confianza acerca de sus propias capacidades de elección. Hacia los dos años, a los niños les gusta escoger qué ropa ponerse y cuál no. En lugar de entablar una lucha irracional (por parte del adulto y del niño) por qué ropa ponerse, se le puede dar a elegir entre dos o tres prendas; por supuesto, adecuadas a las necesidades y el clima. Así, si debe ponerse una remera para estar en la casa, se le puede dar a elegir entre dos destinadas a ese uso. Sólo debemos negarnos rotundamente cuando la solicitud del niño no es conveniente: cuando desea ponerse un suéter en un día caluroso, o una prenda nueva, destinada

"Es bueno permitirle al niño escoger entre al menos dos opciones, puesto que esto le da una sensación de dominio de la situación y le transmite confianza acerca de sus propias capacidades de elección..."

a las ocasiones especiales, para estar en la casa. A la hora de decir "no" debemos pensar antes sobre qué lo estaremos proclamando. Podemos pecar de ser sancionadores y prohibitivos en situaciones en las que –por el contrario- debemos estimular la capacidad de elección y de autonomía. Es decir, el desarrollo saludable de nuestros niños.

En definitiva, lo gratificante es saber que la etapa de los berrinches es transitoria e indispensable para el buen crecimiento de los niños. Debemos acompañarlos sin castigarlos ni atormentarlos. Cada berrinche bien resuelto es una cuota fundamental en el desarrollo emocional de nuestros hijos.

¿Por qué no obedece cuando le digo "NO"?

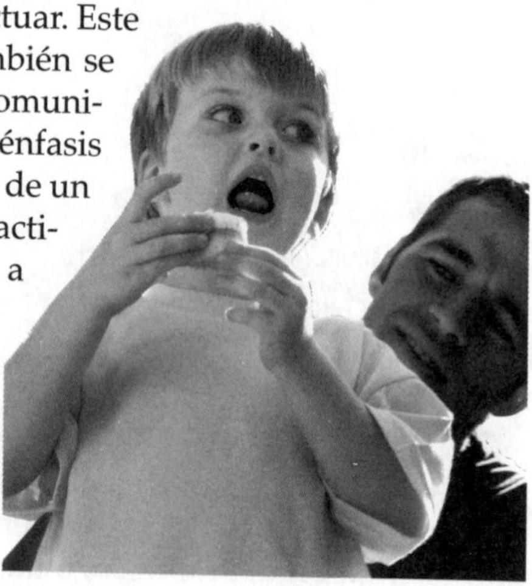

Si nos realizamos esta pregunta, en parte es porque tenemos arraigadas viejas y erróneas concepciones acerca del comportamiento de los niños. En el modelo de crianza tradicional, se pensaba que los niños obedecían de manera directa y automática según las órdenes que recibían de los adultos y según lo que podían observar de ellos en cuanto a su forma de actuar. Este tipo de razonamiento también se corresponde con teorías comunicacionales en las cuales el énfasis estaba puesto en el emisor de un mensaje –en tanto sujeto activo- y que consideraban a quien lo recibía como pasivo. Es decir, un adulto emite mensajes (órdenes) a los niños, quienes, pasivamente, responden al mensaje recibido de manera automática y sin resistencias. Con la evolución de las teorías, se llegó a la conclusión de que también el destinatario del mensaje es un sujeto activo que decodifica, interpreta y responde de manera particular al mensaje que recibe; sin que esto coincida, muy frecuentemente, con las intenciones de quien emitió el mensaje. El niño ya no es considerado como un "ente" que obedece maquinal e involuntariamente, sino que tiene determinado bagaje (evolutivo, volitivo y emocional) que también condiciona su comportamiento ante los demás. Entonces, no esperemos que el niño nos obedezca como autómata –si siempre lo hace, es motivo de preocupación- por el simple hecho de que le digamos, una, dos o cien veces **"NO"**.

"El niño ya no es considerado como un "ente" que obedece maquinal e involuntariamente, sino que tiene determinado bagaje (evolutivo, volitivo y emocional) que también condiciona su comportamiento ante los demás..."

Existen, además, otras razones por las cuales los niños no sólo no nos obedecen, sino que tampoco interiorizan las conductas que -suponemos- estamos incentivando, ni los límites que procuramos establecer. Estas razones, por supuesto, están directamente vinculadas a todo lo que venimos comentando sobre la puesta de límites. Les sugiero entonces tener presentes los aspectos principales ya vistos a lo largo del libro, para asociarlos y comprender las puntualizaciones que siguen a continuación. Un aspecto central es qué tan claros –y libres de contradicciones- son los mensajes, las indicaciones y las órdenes que les transmitimos a los niños. El proble-

> Algunas veces, además de emitir órdenes vagas, solicitamos grandes exigencias por fuera del alcance del niño...

ma que se suscita es que –como ya vimos- en algunas oportunidades existen inconsistencias entre lo que le decimos al niño y lo que hacemos; "¡no grites!", diciéndolo nosotros con gritos desaforados; "no pegues al vecino", dando nosotros mismos un leve chirlo en la cabeza; "no digas malas palabras", mientras nosotros vivimos recordando a nuestras madres y a las ajenas (se comprende, ¿no?). Esta cuestión va de la mano con el hecho de si el mensaje y la exigencia que emitimos son acordes a lo que el niño puede responder o comprender, según la etapa evolutiva en la que se encuentra o la maduración psicológica e intelectual de la que dispone. No pocas veces, además de emitir órdenes vagas, solicitamos grandes exigencias por fuera del alcance del niño. No le podemos pedir a un niño de dos años que nunca más haga un berrinche, o que se comporte como un "niñito grande", o pretender que pase gran parte del tiempo quieto. Si somos docentes, no le podemos pedir que permanezca sentado o concentrado durante largos períodos.

Las recompensas y los castigos por fuera del momento propicio también dificultan la comprensión de las conductas, la discriminación entre las aprobadas y las desaprobadas y por supuesto, el acatamiento del límite. Tanto en el caso de la recompensa como en el del castigo, estos deben ser aplicados de manera casi inmediata al hecho que los invoca. Si sobrevienen muy posteriormente, el niño no logra comprender la relación entre recompensa y buena conducta, o castigo y mala conducta. Entonces, si el niño se portó bien en la sala de espera del médico, jugando con otros niños y sin pelear ni golpearlos, se le debe hacer un reconocimiento sobre su comportamiento cuando finaliza la consulta al médico. Si se ha comportado bien a lo largo de toda una jornada, es al finalizar el día cuando debemos hacer el comentario al respecto. Lo mismo sucede con el castigo o la penitencia. Es más, éste debe ser aún más inmediato, porque también es una manera de establecer un corte a la mala conducta o la desobediencia en el momento en que ocurre. No es conveniente apelar a expresiones como "cuando lleguemos a casa vas a ver", o "espera a que llegue tu padre". No se puede esperar horas para establecer una penitencia por un mal comportamiento. Cuanto más corto –especialmente con los niños más pequeños- es el lapso temporal entre la conducta y la consecuencia (sea buena o mala), mayores posibilidades se le estarán dando al niño para que comprenda dicha relación.

Ahora bien, ¿cuántas veces al día dicen "NO", "no hagas eso"? ¿Y cuántas "SÍ" o simplemente no decir nada, como gesto de aprobación a que el niño continúe realizando su acción? He aquí otro posible motivo por el cual no obedezcan cuando les decimos "NO". Es decir, cuando casi todo el tiempo es "NO". Que queramos fomentar el autocontrol no significa que permanentemente estemos coartando a nuestros niños y sus necesidades de exploración, de conocimiento y de experimentación. Es imprescindible para su desarrollo físico, emocional y social que el niño lo haga, que sienta curiosidad por conocer y explorar el mundo circundante. Desde hace cien años, el psicoanálisis destaca el importante papel que cumple la predisposición de los niños acerca del saber y del ver acti-

> "Entre los tres y los cinco años nace en los niños una fuerte predisposición a saber e investigar..."

vamente. Desde esta teoría, entre los tres y los cinco años nace en los niños una fuerte predisposición a saber e investigar. Se formulan preguntas (una de ellas es "¿de dónde provienen los niños?") y también respuestas provisorias, teorías. Este proceso es indispensable para el desarrollo psíquico y emocional de los niños y futuros adultos. Por supuesto, hay un límite básico: el que refiere a no avanzar hacia aquellas exploraciones que impliquen riesgo para ellos. Podemos permitir que el niño de un año investigue su comida: la toque, la tire, juegue con ella; pero no podemos permitir que a esa edad –ni a ninguna otra- procure explorar enchufes u objetos filosos y cortantes. El criterio para establecer prioridades en relación con cuándo decir "NO" es, sin duda, el riesgo para el niño o para otras personas.

Una segunda cuestión que pone en jaque la aceptación del "NO" es la falta (o insuficiencia) de cariño y apego en el vínculo con los hijos. Como lo expresamos en reiteradas oportunidades, la puesta de límites es parte de nuestras actitudes de cuidado y de amor hacia ellos. En la medida en que no puedan percibirlo de tal manera, resulta más dificultosa la aceptación del límite y la comprensión acerca de nuestras intenciones al establecerlo. Cuando el cariño y el apego en el vínculo con los hijos son insuficientes, lo más probable es que ello dé lugar a una relación conflictiva, en la que no sólo la puesta de límites se dificulte, sino todos los aspectos de la relación entre progenitores e hijos. En estos casos, no es un hecho raro la aparición de conductas de oposición y rebeldía exacerbadas. Desde esta perspectiva, la desobediencia y la falta de límites obedecen a la presencia de conflictos en el hogar. Pero también los problemas de conducta de los niños se pueden asociar a la existencia de problemas emocionales de los progenitores (como la depresión, la ansiedad o el estrés, entre tantos otros); éstos se manifiestan –sintomáticamente- como una alteración en el comportamiento del niño, que se expresa en: rebeldía, comportamientos agresivos hacia sí mismo o los demás o, por el contrario, sumisión absoluta, entre otros tantos posibles. En estos casos, cuando los padres pierden el control de la educación y del comportamiento de los niños, lo más conveniente es recurrir a una consulta con un profesional.

> “Muchas veces los problemas de conducta de los niños se pueden asociar a la existencia de problemas emocionales de los progenitores como la depresión, la ansiedad o el estrés, entre tantos otros...”

Aun más, la puesta de límites resulta más conflictiva cuando la orden o el límite que se procura imponer son demasiado exigentes y poco justos desde la percepción del niño. El sentimiento de no haber sido en absoluto partícipe en la definición del límite o de la prohibición específica de la que se trate vivencia la situación como una pura imposición, ante la cual el niño *debería rendirse*. En la medida en que sea posible, hay que apelar a la negociación y a la participación del niño en la determinación de algunos de los límites y normas. Cuando existe una manera de conducirse de los padres que nunca apela al consenso de las reglas, los hijos lo perciben con claridad.

Señalemos un último enemigo en nuestro férreo propósito de obtener obediencia. El cansancio, el agotamiento. No sólo el nuestro sino también el del niño. Los infantes no pueden comprender ni acatar los límites si están cansados, molestos o hambrientos. Si persistimos, sólo obtendremos mayor malestar por parte de ellos, y mayor frustración y agotamiento por parte nuestra. Ni ellos ni nosotros debemos someternos a situaciones que resulten improductivas para nuestras intenciones, y que acrecienten el malestar y el agotamiento. Hay un riesgo claro desde nuestra parte: perder el control. Y cuando hablamos de "perder el control" esto no implica sólo un grito, un gesto de visible disgusto, o incluso hasta un sollozo; sino la posibilidad de infligir un daño físico o psicológico al niño: un golpe, un pellizco, un insulto... Debemos aprender a identificar los momentos propicios y, más particularmente, aquellos que no lo son en absoluto.

> "Los niños son según los mensajes que reciben de nosotros, los comportamientos (que nos imitan) y los vínculos que nosotros entablamos con ellos..."

Lo que hemos visto en este apartado nos debería cambiar el foco de la mirada que usualmente tenemos. Cuando el niño no obedece a nuestro "NO", cuando pareciera no tener límites, el problema (y su resolución) no está en el niño. Está en los progenitores u otros adultos a cargo de su cuidado. Los niños son según los mensajes que reciben de nosotros, los comportamientos (que nos imitan) y los vínculos que nosotros entablamos con ellos. La interiorización de límites, la aceptación del "NO", constituye un proceso de interacciones mutuas entre progenitores (u otros adultos) y los niños, en el que no sólo inciden los mensajes verbales que se emiten, sino también los aspectos emocionales, cognitivos e intelectuales que se ponen en juego en el vínculo entre ambos. Contexto familiar (y extra-familiar), situaciones y acontecimientos cotidianos e interacciones determinarán el proceso de socialización del niño y la incorporación –o no- de los límites necesarios.

Otros niños son más obedientes

Esta afirmación, "otros niños son más obedientes", puede ser bastante engañosa y encerrar muchos equívocos. ¿Qué estamos observando y comparando entre otros niños –supuestamente más obedientes- y los propios? Es más, ¿por qué nos afanamos por establecer comparaciones? Podemos llegar a la conclusión de que otros niños son más obedientes –al menos- por dos vías: por lo que observamos o por lo que nos dicen los padres, abuelos o tíos, acerca de cómo se comportan esos otros niños. Si nos basamos en la primera vía –la comparación mediante la observación directa-, debemos tener presente que observamos el comportamiento de los niños sólo por períodos y en determinados ámbitos. Por ejemplo, podemos creer que un niño que obedece las órdenes de su madre, o juega tranquilamente en la plaza, siempre se comporta de esa manera. O que los comportamientos difíciles de los hijos de nuestros amigos no son tan terribles como los del nuestro. En realidad, la información que obtenemos por medio de lo que vemos durante un período acotado de tiempo –por lo general, limitado como máximo a un par de horas-, y en determinadas circunstancias, puede no ser suficiente para comparar a esos

otros niños con los propios. Cada niño tiene sus particularidades. Algunos pueden comportarse bien durante horas, o en los lugares públicos o ante la presencia de otras personas; y en la intimidad del hogar desplegar toda su rebeldía. Otros, por el contrario, se comportan de manera más ansiosa ante los extraños que con los propios progenitores. Es decir, resulta bastante difícil y engañoso comparar a nuestros niños –a quienes conocemos casi a la perfección- con otros, que sólo vemos transitoriamente y a quienes no conocemos lo suficiente como para establecer comparaciones confiables. Hay otra realidad que hay que tener presente: el vínculo entre progenitores e hijos está teñido de ambivalencia y de sentimientos opuestos, lo que hace que la forma de comportarse del niño con los padres tenga algunas características conflictivas en comparación con otros vínculos. Todos los niños "montan escenas" –como caprichos y berrinches- para los padres; escenas que difícilmente (o poco frecuentemente) les realicen a los maestros, abuelos o niñeras.

> La intensidad del vínculo con nuestros hijos hace que a veces seamos más indulgentes y flexibles con los niños ajenos; y más exigentes e intolerantes con los propios...

Tenemos también la segunda vía: comparar según lo que otros adultos "dicen" acerca de cómo se comportan sus niños (ya sean sus hijos, nietos, sobrinos). Pues bien, hay progenitores que ven a sus niños como perfectos angelitos cuando en realidad -¡y por suerte!- no lo son tanto o casi nada. El componente subjetivo de lo que los otros adultos dicen sobre sus niños es tan elevado e indiscutible, que de por sí invalida cualquier comparación basada en lo que nos dicen sobre esos niños. No alcanza con lo que nos dicen.

> Las comparaciones en las que siempre los otros niños son los que se portan bien y son mejores que los nuestros pueden estar indicando inseguridad acerca de cómo estamos desempeñando el rol de educadores...

Tampoco es lo mismo *escuchar* algo acerca de cómo se comportan otros niños que *sobrellevar y vivenciar* cotidianamente su comportamiento. Además, como expresamos líneas arriba, la intensidad del vínculo con nuestros hijos hace que a veces seamos más indulgentes y flexibles con los niños ajenos; y más exigentes e intolerantes con los propios. Esta situación nos lleva a realizar comparaciones en las cuales nuestros niños terminan siempre en desventaja.

Muchas veces, sucede también que en la comparación se proyectan la propia insatisfacción e inseguridad. Las comparaciones en las que siempre los otros niños son los que se portan bien y son mejores que los nuestros pueden estar indicando que esta evaluación comparativa es resultado de la inseguridad acerca de cómo estamos desempeñando el rol de educadores; qué tan bien –o no- lo estamos haciendo. Nunca la comparación será objetiva. Siempre estará matizada –en grado variable- por el vínculo afectivo con los niños, por las percepciones con respecto a ellos y por las propias acerca de nosotros mismos. Entonces, es verdad que no podemos evitar hacer alguna comparación, es parte de la naturaleza humana. Pero sí debemos evitar considerar como absolutamente verdaderos los juicios que provienen de las comparaciones. Corremos el riesgo de ser profundamente injustos con los niños, quienes en última instancia son –en gran parte- lo que hacemos de ellos según nuestros comportamientos, actitudes y la forma de educarlos.

> Algunos niños obedecen siempre, se portan bien y nunca se oponen, pero esto no es sinónimo de un comportamiento favorable ni forma parte de un desarrollo saludable en los niños...

Sin embargo, estas aclaraciones no desmienten que efectivamente hay niños que se comportan de manera más obediente que otros. Pero antes de avanzar, hagamos hincapié en una advertencia: la obediencia en extremo -es decir, los niños que siempre obedecen, siempre se portan bien y nunca se oponen- no es un comportamiento favorable ni forma parte de un desarrollo saludable en los niños. El crecimiento y la maduración emocional de los niños suponen que obedezcan y respeten los límites; pero también que de vez en cuando se opongan, se enojen, desobedezcan y procuren imponer su deseo. Es la base indispensable para el desarrollo de la autonomía y de la seguridad en sí mismos. En cierta ocasión, una abuela decía que su nieto de cuatro años era muy obediente: no corría, siempre caminaba de la mano del adulto que lo acompañara, y nunca gritaba ni hablaba en voz alta. Éste es un ejemplo de un tipo de comportamiento que no debemos desear en los niños. Cuando decimos entonces que "otros niños son más obedientes", también debemos evaluar qué tan deseable y saludable es esa obediencia. Insistimos: antes que con la obediencia al límite de la sumisión, contentémonos de todo corazón con el espíritu revoltoso de los niños.

Hecha la aclaración, prosigamos con nuestro rumbo. ¿Qué sucede si efectivamente nuestros niños son –por mucho- menos obedientes que el resto? Una forma de identificar esta situación proviene de las dificultades que, por ejemplo, se suscitan en el jardín o en la escuela, en el enfrentamiento recurrente con otros niños o en la oposición y desobediencia permanente a órdenes y solicitudes. Antes de culpabilizar al niño –un atajo cómodo para nosotros mismos- debemos revisar nuestras estrategias de educación, actitudes y, por sobre todas las cosas, el vínculo con los niños. Cuando son significativamente más desobedientes que la mayoría, esto puede estar indicando serias dificultades en nuestra forma de educarlos y tratarlos. En otras oportunidades, actúan nuestras propias dificultades y conflictos. Los niños son esponjas totalmente perceptivas y permeables a las actitudes y sentimientos que tenemos para con ellos, a nuestros propios malestares y a los existentes en el hogar. La falta de contención, afecto y límites puede perturbar el comportamiento y el estado de ánimo de los niños. Si tenemos indicios suficientes para sospechar que nuestro niño es considerablemente menos obediente que la mayoría, debemos entonces analizar cómo estamos tratando al niño; qué tanto afecto, cuidado y atención le estamos brindando cotidianamente. En otras palabras, revisar el vínculo que entablamos con ellos. Una segunda cuestión fundamental consiste en una introspección respecto de uno mismo; por ejemplo, "¿estoy demasiado ansioso, preocupado o estresado?". Cuando algún miembro de la familia está atravesando un período de malestar emocional o enfermedad física, esto puede acarrear alteraciones emocionales y comportamentales en los niños; que se pueden manifestar en la aparición o aumento de la desobediencia, entre otras tantas conductas y actitudes posibles. También las dificultades en el hogar suelen ser motores de la desobediencia, tanto transitoria como permanente. Las crisis matrimoniales, los problemas económicos o laborales de los progenitores y los vínculos violentos (independientemente de si son con los niños, entre los padres o hacia otro miembro familiar) tienen como consecuencia manifestaciones de envergadura en el estado de los niños.

Si prestamos mucha atención a lo que acabamos de decir, veremos que, cuando un niño resulta mucho más desobediente que la mayoría, no podemos reaccionar inculpándolo. Por el contrario, debemos revisar todos estos puntos que colocan al niño como damnificado más que como victimario. Comparar a un niño con otro puede darnos indicios de cómo está desarrollándose emocional, física y socialmente. Pero si las comparaciones siempre –o casi siempre- nos conducen a concluir que "otros niños son más obedientes", focalicemos entonces la comparación entre cómo es tratado y educado ese otro niño y cómo lo es el propio.

5. El comportamiento de los padres y adultos en la puesta de límites

¿Cómo nos comportamos los adultos ante los niños?

Como muchas veces hemos escuchado decir, corren tiempos difíciles. Y nosotros, los adultos, también corremos detrás del tiempo, con la amarga sensación de que siempre éste va adelante, escurriéndosenos. Y con él, transcurre vertiginosamente el crecimiento de nuestros hijos sin tener –muchas veces- la oportunidad de percatarnos qué tan velozmente esto ocurre y qué tan rápidamente nuestros niños dejan de serlo.

Los tiempos difíciles también se encarnan, en alguna medida, en los desafíos que todo cambio –personal o social- implica. Y uno de los cambios más significativos lo constituye –sin duda- la transformación de la idea de familia y de algunas de las pautas de educación de los niños. Lejos, en el pasado, quedaron las familias en las que los roles materno y paterno estaban absolutamente diferenciados, y cuya complementariedad se basaba en el trabajo doméstico (las mujeres) y el no doméstico (los hombres). Señoras a cargo de la limpieza de la casa, de los quehaceres culinarios y del cuidado de los niños. Señores con largas jornadas de trabajo, que garantizaban –en décadas atrás, mucho más que ahora- el sustento económico familiar. La realidad de hoy es otra. La complementariedad entre hombre y mujer ya no se basa en la inserción en el mercado laboral y en el doméstico, respectivamente; sino en la ardua tarea conjunta de asegurar los ingresos necesarios (o los máximos posibles de alcanzar) para solventar el sustento económico familiar. En otros casos, la inserción en el mercado de trabajo por parte de las mujeres no responde a una necesidad material y sí a una personal, de desarrollo profesional, realización o autonomía. El punto en común es que la mujer ya no puede o no quiere –con pleno derecho- pasar sus días en el hogar. La realidad económica actual de gran parte de las familias hace que ambos padres pasen más tiempo fuera de la casa; ello conlleva dos complicaciones. Cuando están, se encuentran exhaustos y con poca energía como para ocuparse de la puesta de límites a los niños. Ser permisivo con los hijos es mucho menos trabajoso que la tarea de poner límites; y el cansancio en el retorno al hogar, muchas veces, nos hace tomar el camino más fácil. La segunda complicación que suele presentarse refiere a la culpa. Culpa de no pasar el tiempo suficiente (o el que quisiéramos) con los niños; y entonces se pretende compensarlo accediendo a todas sus solicitudes. Se siente que si se regaña al niño, si todos sus deseos no son satisfechos, se está doblemente en falta con él.

"Ser permisivo con los hijos es mucho menos trabajoso que la tarea de poner límites; y el cansancio en el retorno al hogar, muchas veces, nos hace tomar el camino más fácil..."

La otra realidad actual, que coexiste o se superpone con ésta, es que las familias ya no constituyen –de manera excluyente- un núcleo compuesto por un

> Actualmente existe una multiplicidad de formas familiares y un porcentaje muy elevado de hogares uniparentales...

matrimonio con sus hijos en una misma vivienda. Como comentamos en la introducción, existe una multiplicidad de formas familiares y un porcentaje muy elevado de hogares uniparentales. Esta nueva realidad social y económica trae aparejada tanto ventajas como desventajas. Y nos obliga a pensar cómo se educa al niño en el contexto social actual. La constitución de hogares uniparentales tiene una ventaja: no hay dentro del hogar otro progenitor con quien ponerse de acuerdo acerca de la disciplina del niño en la casa, ni con quien contradecirse ante el infante. No obstante, si uno de los progenitores no vive con el niño –o éste pasa unos días en la casa de uno y el resto en la del otro-, esto también va a requerir acordar, entre los padres, algunas estrategias y lineamientos acerca de la educación del niño, y de la puesta de límites en particular. Planteamos este tema porque una de las dificultades centrales a la hora de procurar poner límites a los niños es el desacuerdo entre los padres y la forma de proceder de cada uno de ellos, que conduce a contradicciones. Ya sea que los padres vivan juntos o separados, es indispensable que ambos piensen y definan –de mutuo acuerdo- qué límites consideran importante hacer respetar, cómo hacerlo y cómo proceder en caso de que se transgredan los límites impuestos. No debería haber demasiadas diferencias en ambas situaciones: que los padres no convivan en la misma casa no los libra de compartir y consensuar las cuestiones referentes al bienestar y la educación de los hijos en común. Somos adultos y debemos procurar diferenciar entre las cuestiones conyugales y las que refieren al cuidado y crianza de los hijos. El niño es muy hábil para percibir y aprovechar los puntos de conflicto entre sus padres, las debilidades de cada uno y las contradicciones que se establecen entre ambos. No nos resultan extrañas las situaciones en las que un niño solicita autorización a uno de sus progenitores y, ante la negativa de éste, recurre al otro, quien accede al pedido. Una vez que uno de los padres emite su decisión al niño, el otro no debe contradecirlo ni desautorizarlo delante de éste. En caso de existir discrepancias, deben ser conversadas en lo privado. Por el hecho de compartir la misma vivienda, los padres pueden manifestar a los niños mayores discrepancias que los que se encuentran separados. Pero es también tarea de estos últimos el acordar no contradecirse en presencia del niño y manejarse cada uno en su casa con una lógica común y coherente. Por ejemplo, si en uno de los hogares –sea el materno o el paterno- se le exige cumplir con los hábitos de higiene cotidiana y en el otro no, será muy difícil para el niño discernir acerca de la necesidad de la higiene y de adquirirla como hábito.

> "Una vez que uno de los padres emite su decisión al niño, el otro no debe contradecirlo ni desautorizarlo delante de éste..."

Muchas veces, las dificultades en la puesta de límites no obedecen tanto a la ausencia durante gran parte del día de los padres en el hogar, ni tampoco a la falta de acuerdo entre ellos. Algunas veces, los límites no se imponen por la propia inseguridad de los progenitores, y hasta por una baja autoestima de éstos. En general, estas personas manifiestan un deseo muy grande de ser aceptados y queridos por los otros, además de sentirse inseguros a la hora de tomar decisiones, y no confían en sus propias capacidades. Esta situación deriva en que no establecen límites por temor a que los hijos no los amen y por sentirse incapaces de hacerlo. En la medida en que estos sentimientos persistan, se incrementen y mortifiquen seriamente a los padres, la resolución de esta situación puede requerir que se realice una consulta a un profesional psicoterapeuta.

Padres autoritarios versus padres permisivos. ¿Cuál es el justo equilibrio?

Ser padres no es fácil. Y por suerte hasta los especialistas se horrorizan en pensar que existan "padres perfectos": que nunca se equivocan, que todo lo hacen bien y con los cuales los niños no encuentran ni una veta para poder criticarlos. Porque, de hecho, una parte importante del desarrollo de los niños se relaciona con la posibilidad de percatarse de la imperfección de los padres. Mientras los niños son pequeños, sus progenitores son seres omnipotentes y omnisapientes. Es necesario que así lo crean durante parte de la inocente infancia. Pero un viso de realidad sorprende en la adolescencia, cuando, justamente, la maduración y el inicio del camino hacia la vida adulta implican la definitiva caída de los padres en tanto seres ideales, agraciados por la perfección. Los hijos durante varios años podrán creer en la magnificencia de sus padres; pero los adultos sabemos que no son pocas nuestras imperfecciones, nuestras dudas y temores. Con este bagaje cada uno se constituye como padre y madre en la medida de lo que puede hacer y de lo que cree que es más conveniente hacer. Así, hay quienes tienden hacia la exigencia casi absoluta, otros hacia la flexibilidad; unos hacia el autoritarismo, otros hacia el consenso y la negociación. Las familias *felices* –si las hay- o, en términos más reales, con un adecuado grado de armonía entre sus integrantes se basan en la capacidad de establecer relaciones afectuosas entre padres e hijos (y, para no derivar en un tema que merece un libro aparte, la relación entre los progenitores, mantengamos nuestra atención sólo en el vínculo entre éstos con sus hijos). Son padres que se sienten seguros en la ardua tarea de enseñar a sus hijos a comportarse apropiadamente y que facilitan la expresión de las emociones, las propias y las de los niños. Las dificultades se suscitan cuando los padres no saben cómo conducirse en la enseñanza de la conducta adecuada de los niños; o cuando se valen de estrategias de dudosa aprobación o de certera ineficacia. En este punto, resulta conveniente revisar los principales modelos de padres en cuanto a la forma de educar a sus hijos.

"Las familias con un adecuado grado de armonía entre sus integrantes se basan en la capacidad de establecer relaciones afectuosas entre padres e hijos (y la relación entre los progenitores)..."

Parte de la bibliografía existente sobre los estilos educativos de los padres ha identificado al menos cuatro estilos básicos, que no está de más examinar para identificar hacia qué orientación tendemos en la educación de nuestros niños. Por lo general se distinguen dos modelos extremos. Uno de ellos es el "modelo autoritario", del cual continuaremos hablando en el apartado de comunicación que sigue. En el otro extremo, encontramos al "permisivo", que suele ser adoptado en mayor medida por los padres que sienten una considerable cuota de culpa por dedicarles un tiempo insuficiente a sus hijos. Algunos autores también distinguen dos modelos más: uno asociado a un estilo "negligente" y otro a un estilo de apoyo o democrático denominado "inductivo". En cuanto al primero –el autoritario- recordamos que consiste en la imposición de la perspectiva del progenitor en decisiones y órdenes inapelables. No hay posibilidad de diálogo ni de negociación, puesto que establecen normas rígidas sobre las cuales se espera un acatamiento absoluto e inmediato. Estos padres suelen presentar también dificultades para demostrar cariño y expresar manifestaciones verbales de afecto a los niños. Apelan de manera excesiva al control –de la conducta y de los niños- y prescinden de estrategias como el cariño y el elogio a las capacidades de sus hijos.

> Los padres "permisivos" no exigen, no ponen límites, son muy laxos en la crianza de los niños, y dialogan todas las situaciones más de lo conveniente...

Por su parte, "los permisivos" se ubican en el polo opuesto: no exigen, no ponen límites, son muy laxos en la crianza de los niños, y dialogan todas las situaciones más de lo conveniente. Son sumamente afectuosos pero no ejercen el control necesario sobre las conductas de sus hijos. Por supuesto, el problema principal no radica en el cariño que brindan sino en la inconstancia y laxitud de las pautas disciplinarias y la tolerancia –en demasía- de todos los comportamientos, impulsos y deseos de sus niños. Muchas veces basan su comportamiento en una concepción equivocada de la maternidad o la paternidad –según corresponda-: que deben ser *amigos* de sus hijos. Que los hijos puedan confiar en los padres, apoyarse y sentirse sostenidos por ellos no significa que la relación que los vincula sea de amistad, de complicidad y de igualdad. Justamente, porque además de la confianza, el sostén afectivo y cierto grado de compañerismo, los niños requieren adultos que les puedan poner límites, a quienes puedan imitar para aprender a crecer (¡y a equivocarse!) y con quienes sentirse protegidos. Los niños que son educados con un muy elevado grado de flexibilidad (y un lábil control) suelen ser sociables, pero carecen de un adecuado nivel de responsabilidad y presentan dificultades en la asunción del comportamiento adecuado, según el contexto y las circunstancias.

En esta categorización que estamos realizando, no podemos obviar que hay un modelo de una excesiva permisividad y flexibilidad, que puede derivar en la negligencia. Padres que no imponen ningún tipo de control y exigencia a los niños, que no les dan la suficiente atención y que son muy insensibles a las necesidades emocionales de los hijos. Los efectos que este modelo tendrá en los niños se evidenciarán en conflictos recurrentes con los pares, escaso control de su comportamiento y baja autoestima. Así como se es insensible a las necesidades, también –peligrosamente- se es muy poco consciente de los riesgos posibles que pueden acarrear determinadas situaciones o comportamientos.

Lo ideal –sabiendo que casi nunca, o sólo por momentos, se puede alcanzar- es adoptar un comportamiento intermedio entre ambos extremos: ni ser autoritario ni ser permisivo. Algunos autores los denominan "padres autoritativos". No se trata de solicitar obediencia "porque sí" o "porque yo lo digo", ni tampoco de decir "haz lo que quieras". Desde un modelo intermedio se fomenta la autonomía de los niños y se respeta sus gustos y preferencias. Pero se es firme en la inculcación de hábitos, normas y límites. En este sentido, el estilo inductivo apela tanto a la demostración de cariño, aceptación y respeto a los niños, como también a la exigencia y a un moderado control de la conducta a partir del razonamiento sobre las normas exigidas. No hay imposiciones fundadas en discursos de autoridad. Hay una evaluación de las necesidades de los niños, sobre las cuales se dictamina cómo proceder, qué exigir, qué negociar y qué permitir. Muchas de las dificultades con nuestros niños se resuelven cuando deliberadamente focalizamos nuestra atención en las conductas positivas y en los aciertos, y dejamos en un segundo plano las negativas. Pensemos cuántas veces marcamos los errores, las equivocaciones, la mala conducta; y cuántas, los buenos comportamientos y las cosas bien hechas. Puede ser que tengamos la idea errónea de que halagar muy frecuentemente al niño no constituye un acto relevante. Pero lo es, y forma parte de la diferencia entre establecer límites de una manera eficaz y saludable o, por el contrario, no hacerlo.

"Desde un modelo intermedio entre el autoritarismo y la permisividad se fomenta la autonomía de los niños y se respeta sus gustos y preferencias..."

Imagino qué podrán estar pensando mientras leen: "fácil es decirlo, y escribirlo". Difícil es hacerlo y, más aún, lograrlo. Pero no seamos cruelmente exigentes con nosotros mismos. Cuando actuamos y nos equivocamos, tenemos la oportunidad de reflexionar acerca de nuestras equivocaciones y procurar –la vez siguiente- rectificar la forma de conducirnos. Ésta puede ser una de las maneras de evitar la culpa y la mortificación que muchas veces nos generan nuestros propios errores en la educación de los niños.

¿Cómo comunicarnos con los niños?

> En todos los niños la comunicación humana apacigua, alienta, transmite seguridad y permite comprender...

Hasta ahora hicimos hincapié básicamente en qué hacer y cómo hacerlo, dejando casi de manera subyacente las cuestiones referentes a cómo debemos establecer comunicación con los niños al momento de ponerles límites. Desde temprana edad, los niños perciben cuando alguien se les dirige cariñosa y sinceramente por medio de las palabras; éstas tienen un poder calmante sobre los niños si se acompañan de la expresividad acorde a la situación (tono de voz calmo y bajo, ritmo lento, etc.). En todos los niños, la comunicación humana apacigua, alienta, transmite seguridad y permite comprender. Hablar de *comunicación* implica mucho más que referirnos a lo que decimos, es decir, el contenido del mensaje que emitimos. La comunicación es uno de los aspectos centrales que define el estilo educativo con el cual nos manejamos en la crianza de los hijos y el tipo de mensajes que les transmitimos. Veamos pues, en qué consiste la comunicación y qué cuestiones deberíamos procurar tener en consideración.

Como comenzamos diciendo, la comunicación es más que la información verbal que transmitimos a otra persona. Define también una forma de compromiso y, por tanto, de relación, puesto que además de la transmisión del mensaje informativo, también se expresan conductas. Aun cuando pretendamos no establecer comunicación, apelando a recursos tales como el silencio, la inmovilidad, el retraimiento, u otro, también se estarán transmitiendo mensajes y estableciendo determinadas relaciones: "no te hablo porque estoy enojado y pretendo castigarte de esta manera"; "permanezco sin moverme puesto que me siento temeroso", "no sé cómo comportarme o qué hacer". Como vimos en estos ejemplos, aún cuando se invoquen actitudes que podemos identificar con ignorar, rechazar o no tener en cuenta al otro, también se establecen comportamientos y tipos de relación; en estos casos, basadas en el desinterés, el temor o el rechazo del otro. Por supuesto que para poder establecer una comunicación productiva, necesitamos una sintonía con el otro, basada en la escucha mutua, en las respuestas adecuadas a la conversación y en el sostenimiento del intercambio comunicacional.

> "Cuando pretendemos establecer límites a los niños, no sólo debemos tener en cuenta qué les decimos, sino también cómo lo decimos y qué comportamientos asumimos ante ellos..."

Ahora bien, ¿por qué planteamos estas apreciaciones? Cuando pretendemos establecer límites a los niños, no sólo debemos tener en cuenta qué les decimos, sino también cómo lo decimos y qué comportamientos asumimos ante ellos. Los gestos, las posturas, el tono de voz, la expresión facial, es decir, todo lo que sucede en una situación de comunicación entre dos o más personas que no refiere a las expresiones verbales, a la información vertida, también forma parte del proceso comunicacional y genera determinados efectos en quienes establecen la relación. Entonces, todos estos elementos –tanto los verbales como los no verbales- van a definir las características que asume la relación que entablamos con el niño. En nuestra experiencia como adultos, sabemos bien a qué nos estamos refiriendo: interpretamos insinuaciones a través de gestos y miradas, conflictos según el tono de voz que se utiliza para expresar algo, soberbia o inseguridad según la postura que el otro asume ante nosotros. Vivimos decodificando no tanto en relación con los mensajes verbales sino con los gestuales, comportamentales y corporales.

De por sí, la relación de los progenitores con sus hijos, o de los docentes con los niños, o del médico con el paciente es –social y culturalmente, al menos en nuestra sociedad- definida como complementaria y –a la vez- asimétrica. Es decir, una relación que no se caracteriza por la igualdad (o la diferencia mínima) entre los miembros, sino que está basada en una diferencia significativa entre ambos. Pero la comunicación de una relación asimétrica -como las que acabamos de mencionar- no es sinónimo de relación entre un "fuerte" y un "débil", o de abuso de autoridad. Son relaciones que, en términos sociales y culturales, determinan una diferencia jerárquica entre sus participantes que hace que éstos se complementen como parte de un mismo sistema, en el que la forma de funcionamiento de cada uno encaja con las funciones y los roles del otro: de la madre con el hijo; de la maestra con el alumno, etc. ¿Por qué enfatizamos esto? Lo que queremos resaltar es que el hecho de que en algún punto ocupemos lugares y roles sociales de *superioridad* (y por favor, tomemos este término con pinzas) en relación con nuestros hijos, no da derecho –ni significa- a abusar de esa posición de autoridad. Recordemos, una vez más, que en primera instancia tenemos responsabilidades con los niños y, en segundo término, derechos sobre ellos. Este señalamiento invalida entonces los argumentos en los que con tanta facilidad caemos, como por ejemplo: "lo tienes que hacer porque yo lo digo", "me tienes que obedecer porque soy tu padre", "en esta casa se hacen las cosas como yo digo".

"Recordemos que en primera instancia tenemos responsabilidades con los niños y, en segundo término, derechos sobre ellos..."

Pues bien, teniendo presente que la comunicación es tanto lo que decimos, cómo lo decimos y cómo nos comportamos es que vamos a ver algunos de los parámetros comunicacionales que solemos adoptar –equivocadamente- con los niños, al momento de establecer sus límites. Uno de estos parámetros es el de "víctimas". Su eje es hacer sentir al niño responsable del sufrimiento propio y culpable ante toda situación que nos genere malestar y disconformidad. Las expresiones como, por ejemplo, "¿por qué me haces esto?, "hago todo lo que puedo por ti, y tú me pagas de esta manera (¡o con esta moneda!)..." son recurrentes, y nos resultan familiares a casi todos nosotros en algún momento de la vida; ya sea como padres o como hijos, que también lo somos. Por supuesto, se suelen acompañar de congoja, lágrimas, reproches, quejas y amenazas sobre los efectos que el disgusto tendrá en la salud emocional o física de los progenitores. Este comportamiento de los adultos es efectivo pero dañino, puesto que presenta –al menos- tres consecuencias importantes. Una es el incremento en el niño de sentimientos de angustia, culpa y tensión, pudiendo derivar en problemáticas psicosomáticas (por ejemplo: dolores corporales, episodios de enfermedad más frecuentes que los parámetros esperables para la edad del niño, alergias, etc). Los niños llegan a sentirse verdaderamente mortificados por cómo hacen sufrir a las personas que quieren; y asustados por lo que les podría llegar a pasar, fantaseando con el posible desencadenamiento de enfermedades o hasta la muerte de sus seres queridos.

La segunda consecuencia refiere a qué modelo de padre o madre y de adulto le estamos enseñando al niño; ¿a sufrir y manipular a los otros con el sufrimiento propio, para lograr lo que queremos? Sin duda, es un modelo que les traerá a los niños (como futuros adultos) muchos problemas a lo largo de la vida. Tanto si se encuentran con personas que, por sus propias cualidades e historia familiar, se ajustan de manera dinámica a este tipo de vinculación, puesto que perpetúa el juego relacional de "víctima-victimario" y el sufrimiento adicional que ello conlleva; como, por el contrario, si se tropieza con personas que no se ajustan a ese patrón relacional, lo cual, por ende, dificulta el establecimiento de relaciones con éstas y la consecución de los fines asociados a las mismas (sea una situación de trabajo, de amistad, de pareja, o cualquier otra). La tercera consecuencia es el inmenso desgaste que implica este comportamiento, en los adultos que lo actúan. Porque entre simular ser una víctima, sentirse víctima y convertirse efectivamente en una víctima, existe un límite difuso que, en definitiva, dictamina que somos víctimas pero de ¡nuestra propia actuación!

> “Asumir el comportamiento de víctima con los niños para lograr su obediencia es un método efectivo, que trae beneficios en el momento, pero en base a consecuencias negativas muy importantes, tanto en el presente del niño como en su futuro...”

Rebobinemos. Asumir el comportamiento de víctima con los niños para lograr su obediencia es un método efectivo, que trae beneficios en el momento, pero en base a consecuencias negativas muy importantes, tanto en el presente del niño como en su futuro. Constituye además un ciclo que, para que continúe generando los efectos buscados, se deberá sostener en el tiempo y reforzar permanentemente. ¿Qué significa esto? Que nos encontramos con que para lograr que los niños obedezcan, necesitamos –indefectiblemente- asumir este rol de víctima casi siempre. Por el contrario, si en alguna ocasión intentamos establecer el límite por otros medios, esto seguramente nos insumirá –comparativamente- mucho más tiempo, que si lo hiciéramos mediante la adopción de la postura de víctimas. El cumplimiento que se obtiene con esta modalidad no implica una verdadera interiorización de límites por parte de los niños. Es decir, la obediencia que obtengamos del niño no hace presumir en nada la adopción de los límites. Moraleja: vamos por mal camino...

Pero las malas sendas no se agotan allí: veamos otra. Al comportamiento de víctima que acabamos de ver, se le opone otro –también equivocado- que es el del "dictador o autoritario". Ustedes estarán ya imaginando en qué consiste esta pauta comportamental. Sí, efectivamente, se trata de lograr la obediencia del niño en base al poder y la dominación. Se atemoriza y amenaza al niño para que cumpla con las órdenes y evite realizar acciones no permitidas. Pero también se puede descalificar y burlar al infante: "eres un tonto, no entiendes nada", "eres un burro", "la cabeza no te funciona"...

> La base que sustenta el comportamiento autoritario está conformada por un adulto que da órdenes sumamente estrictas y rígidas y un niño que obedece por temor al castigo y las posibles consecuencias...

La base que sustenta este funcionamiento autoritario está conformada por un adulto que da órdenes sumamente estrictas y rígidas –inapelables e innegociables- y un niño que obedece por temor al castigo, a las emociones sumamente exaltadas (como la furia) y las posibles consecuencias. Tanto los gestos faciales, como la mirada, el tono y volumen de la voz y la postura corporal conforman una figura amenazante ante la cual el niño puede reaccionar, al menos, de dos maneras: con sumisión o, por el contrario, con rebeldía. Esta forma de tratar de *imponer* límites no nos resulta extraña; porque hasta una, o a lo sumo dos generaciones anteriores, era parte de los modelos de crianza. Modelos basados en relaciones verticales entre padres e hijos –y especialmente en relación con el progenitor masculino- y en la obediencia de éstos hacia aquéllos. El respeto y el amor hacia los padres coexistían, en gran medida, con el temor.

Las consecuencias de esta pauta de comportamiento no son pocas, tal como tampoco lo eran en el caso anterior (de víctima); pero nos interesa destacar, principalmente, tres. La primera es que el límite entre el autoritarismo y la violencia física y psicológica es muy lábil. De hecho, si nuestras actitudes y expresiones verbales hacia los niños producen en ellos de manera frecuente angustia y malestar, podemos presumir la existencia de maltrato psicológico; aun cuando no se le dé al niño una bofetada. Sí; tengamos en claro que maltratar o violentar no implican necesariamente el golpe, el castigo físico. Y justamente por la falta de este tipo de evidencia física, palpable –y si ustedes quieren, objetiva- resulta tanto más difícil anoticiarse acerca del maltrato psicológico que del físico. La negligencia, la desatención y la indiferencia también pueden constituir actos de maltrato. Y en la medida en que el adulto no toma conciencia y conocimiento del trato dañino que le está dando al niño, no es posible pensar un cambio y estipular un límite a esto. La segunda consecuencia consiste en el modelo de vínculo que le estamos ense-

"En la medida en que el adulto no toma conciencia y conocimiento del trato dañino que le está dando al niño, no es posible pensar un cambio y estipular un límite a esto..."

ñando al niño; es decir, a relacionarse con los otros a partir de la violencia, de la imposición o bien desde la sumisión. Con –además- el dolor que significa la repetición activa del maltrato y la agresión vivida de manera pasiva cuando niño.

La tercera consecuencia, como vimos unas páginas antes, es la incidencia negativa que este tipo de relación y trato al niño tiene en la conformación de su autoestima, del autoconcepto y de los sentimientos hacia sí mismo.

Pero, como dice el refrán popular, "el diablo mete la cola". Y de tal manera que, como si estos dos comportamientos (el de víctima y el de dictador) por sí mismos no fueran suficientes para torturar a nuestros dulces niños, debemos advertir que incluso pueden alternar entre ellos y combinarse con expresiones y manifestaciones de amor. La realidad es que no siempre actuamos sólo como víctimas o sólo como dictadores, sino que a veces lo hacemos como uno y otro. Muchas veces estos comportamientos coexisten con demandas y expresiones de cariño a los niños, e incluso con una contigüidad temporal entre ambos extraordinariamente increíble; situación que puede provocar una gran confusión en los pequeños.

Conclusión: tengamos presente que el establecimiento de límites no se basa únicamente en qué decimos, sino también en la manera en que lo decimos y cuál es el comportamiento que asumimos ante los niños. No hay que utilizar expresiones, a la hora de implementar estrategias para procurar la puesta de límites, del tipo: "porque te quiero, te aporreo" o "me he sacrificado y dejado todo por ti". A no confundirse: la obediencia obtenida con las estrategias inadecuadas no siempre implica o conlleva un proceso de interiorización de los límites, y sí consecuencias negativas para la salud emocional del niño, que no esperábamos –de manera conciente- provocar.

Otras viñetas comunicacionales que debemos considerar

Resta, para completar este tema, tratar algunas cuestiones relevantes. Entre ellas, la que se denomina "descalificación comunicacional".

> "La descalificación consiste en invalidar la comunicación propia o la del otro; es decir, la nuestra como adultos (padres, maestros, etc.) o la de los niños..."

La descalificación en la comunicación tiene tanta importancia en lo que refiere a la instancia específica de la puesta de límites a los niños, como la tiene, también, en términos globales, en la relación comunicacional que establecemos con ellos en otras situaciones;

como, por ejemplo, cuando nos piden algo, cuando les damos una indicación o una orden. La descalificación consiste en invalidar la comunicación propia o la del otro; es decir, la nuestra como adultos (progenitores, maestros, etc.) o la de los niños. La manera de incurrir en ella se evidencia mediante contradicciones, desviaciones bruscas del tema de conversación, incongruencias, malentendidos y elocución de oraciones incompletas. La descalificación comunicacional alcanza así tanto al contenido del mensaje –lo que se dice, como en el caso de las contradicciones y el cambio de tema-, como también al interlocutor y a la propia relación entre ambos participantes. Las características enunciadas dificultan, por lo tanto, la comprensión entre los adultos y los niños; además de agraviar el vínculo entre ellos. En este sentido, la claridad y la exactitud del mensaje -sin rodeos, desvíos ni evasiones- son aspectos centrales para poder comunicar y conseguir el comportamiento que pretendemos lograr de los niños. No olvidemos que, como vimos hace unos instantes, las expresiones faciales y corporales también transmiten mensajes. En este sentido, también nos podemos valer, además de las palabras, del tono de voz, de los gestos, de las manos y de la postura corporal para expresar lo que deseamos comunicar. Asegurémonos de que estas expresiones no verbales sean coherentes con lo que le estamos diciendo al niño; de lo contrario, estaríamos cayendo en una contradicción. Por ejemplo, si el niño está derramando la leche intencionalmente, no se

> “La claridad y la exactitud del mensaje son aspectos centrales para poder comunicar y conseguir el comportamiento que pretendemos lograr de los niños...”

puede utilizar un tono de voz apacible y tierno para indicarle que detenga su acción. Sin duda se requiere un tono de voz firme, una mirada fija que intime a cumplir de inmediato con la orden.

> "Las expresiones faciales y corporales también transmiten mensajes; nos podemos valer, además de las palabras, del tono de voz, de los gestos, de las manos y de la postura corporal para expresar lo que deseamos comunicar..."

Una segunda cuestión a tratar se funda en la importancia de reconocer la gran capacidad de aprendizaje de los niños. Son como "esponjas" que absorben atentamente del medio y de las otras personas -especialmente de los adultos más significativos y de los pares- comportamientos, expresiones, gestos y actitudes. Pareciera que todo lo observan y escuchan; y que aprenden más de lo que escuchan decir y de lo que ven. Y, a la vez, nos imitan sorprendentemente. (¡Y hasta fastidiosamente! No es fácil vernos en la imagen que el niño capta de nosotros). Más allá de la indudable gracia y ternura que, a veces, nos causa ver a los niños comportarse, hablar o procurar pensar como un adulto, es importante prestar atención para ser bastante cuidadosos en lo que decimos y hacemos. Esta advertencia se funda en el hecho de que las figuras significativas y de afecto para los niños operan como modelos, tal como vimos en las primeras páginas del libro. La forma en que estos modelos se comportan; lo que dicen y cómo lo dicen; las creencias, los valores y los hábitos que portan (y por ende, transmiten) son marcas indelebles que regirán la forma de pensar, comportarse, sentir y relacionarse de los niños. En definitiva, incidirán en la adopción de una determinada forma de transitar la vida.

Y en este punto debemos advertir que, quizá, lo que más nos cuesta –no pocas veces- es ser coherentes entre lo que exigimos y la manera en que lo hacemos; ¡cuántas veces le hemos solicitado -gritando y visiblemente descontrolados- al niño (ya sea nuestro hijo o un alumno, en caso de ser docente) que no grite, que se comporte bien, que permanezca tranquilo! Tampoco entraña pocas contradicciones lo que le transmitimos a los niños y lo que hacemos; ¿cómo pedirles, por ejemplo, que asuman cuidados responsables con su salud si cotidianamente nos ven fumar como "chimeneas", no comer de manera adecuada o comer desaforadamente? ¿Cómo convencerlos de que la espinaca es saludable e imprescindible para su buen crecimiento, si nosotros sólo nos derretimos ante la carne, las pastas y la pizza? ¿Cómo inculcarle a un niño que lea, si sólo apelamos al televisor como estrategia de distracción? Estos ejemplos pueden parecer banales y hasta burdos, pero la experiencia dicta que son reales, cotidianos y que están presentes en gran parte de los hogares. Una vez más, el eje es la coherencia: entre lo que decimos y cómo lo decimos; entre lo que exigimos y lo que hacemos. No es fácil, pero debemos empezar por detectar estas incongruencias que están presentes cotidianamente en la crianza de nuestros hijos y en la educación de los alumnos, en las formas de disciplinar y en las reglas que establecemos.

Una última puntualización para terminar con esta amarga tortura que significa asumir lo que hacemos mal, y cómo deberíamos hacerlo bien, y cuánta equivocación podemos estar cometiendo sin siquiera percatarnos de ello. Los niños entienden y comprenden, desde muy pequeños, más de lo que nosotros creemos. Por ello, debemos ser sustanciosos en lo que decimos, hacemos y exigimos; y también en lo que omitimos, al no hacer, no manifestarnos y no exigir. A los niños les podrá, aparentemente, desagradar profundamente la puesta de un límite, una censura, un "no" firme, una penitencia, un enojo nuestro. Pero no son incapaces de comprender, superada la emoción intensa de desagrado, la necesidad de un "hasta aquí llegamos". De hecho, los niños que no tienen límites, que no cuentan con ningún adulto que se los inculque, parecen *pedir a gritos*, con sus expresiones extremas, que alguien los guíe, les ponga una limitación, y por supuesto, los contenga emocionalmente. Si los niños no tuvieran ninguna capacidad de comprensión de la propia necesidad de límites, su imposición traería aparejados más efectos negativos que positivos. Y la realidad dicta lo contrario: los límites son necesarios y fructíferos para el buen vivir del futuro adolescente y, posteriormente, del adulto.

> "Los límites son necesarios y fructíferos para el buen vivir del futuro adolescente y, posteriormente, del adulto..."

¿Cuándo debemos acudir en búsqueda de una orientación profesional?

"No aguanto más". "Siento que voy a explotar". "Ya no sé qué hacer para que obedezca". ¿Resultan familiares estas expresiones? Imagino que la respuesta es "sí". Es que definitivamente ser padres no es fácil, conlleva mucha responsabilidad y preocupación y es un aprendizaje consecuencia de la propia práctica; sucede con el ejercicio cotidiano de desempeñarnos como padres y madres. Para colmo, también batallamos con nuestros fantasmas acerca del temor de ser, comportarnos o tener algunos rasgos propios de nuestros padres, que juramos no repetir. La mera existencia de estos sentimientos y fantasmas no alcanza para confirmar la necesidad de recurrir a un profesional (psicólogo, psiquiatra o psicopedagogo). En última instancia, es más importante evaluar con qué recurrencia se siente este malestar, con qué intensidad y si se logra resolver –o no- las situaciones de conflicto que lo suscitan. Veamos algunos de los principales indicios que pueden estar sugiriendo la necesidad de realizar una consulta terapéutica.

En la actualidad, el principal motivo de consulta a profesionales de la salud mental, de servicios de salud públicos en relación con niños, se vincula a problemas de conducta y aprendizaje. Es decir, niños que no obedecen a maestros u otras autoridades, que pelean de manera muy agresiva con los pares o que, pese a los refuerzos en la enseñanza (como, por ejemplo, clases u horas compensatorias), no logran aprehender los conocimientos que se les imparten ni prestar la atención necesaria. Muchas veces las escuelas –especialmente si no cuentan con un gabinete psicopedagógico- no saben cómo manejarse ante estas situaciones, especialmente frente a las que refieren a problemas de conducta. De manera frecuente, es la escuela la que sugiere a los padres que consulten a un profesional. Si los padres efectivamente constatan que sus niños –pese al apoyo de instrucción reci-

"De manera frecuente, es la escuela la que sugiere a los padres que consulten a un profesional..."

bido- presentan problemas importantes de aprendizaje en términos generales, es hora de evaluar la posibilidad de realizar una consulta a un profesional; lo cual no significa que se deba comenzar un tratamiento. Debemos ser cuidadosos al respecto: hay niños que tienen mayor dificultad en una asignatura y, por el contrario, mayor capacidad para otras; esto no es un indicio suficiente de un problema de aprendizaje que amerite la intervención de un profesional. Antes de evaluar la consulta a un profesional, debemos asegurarnos de que tanto los padres como la institución educativa han agotado las instancias para el mejoramiento académico. No podemos precipitadamente pensar que es el niño el que tiene un problema. Muchas veces lo tienen las estrategias de educación inadecuadas, el manejo de la escuela, los padres o la familia. En cuanto a los problemas de conducta, éstos también requieren que los padres se cercioren, junto con los maestros y autoridades educativas, de que ciertamente sean significativos. Ello acontece cuando los problemas de conducta son muy recurrentes, cuando el niño tiene reacciones inadecuadas para la edad, cuando entabla peleas físicas –no me estoy refiriendo a una aislada, producto de un arrebato, sino a episodios repetidos- o cuando, como resultado de su comportamiento, se inflige daño a sí mismo o a terceros.

> “Ante problemas en el aprendizaje de nuestros niños debemos asegurarnos de que tanto los padres como la institución educativa han agotado las instancias para el mejoramiento académico...”

Suele ser bastante frecuente que los problemas de aprendizaje y comportamiento de los niños se produzcan como consecuencia (o manifestación) de conflictos en el hogar. Cuando un niño se vea alterado, triste, con dificultades de concentración, agresivo, o presente otras manifestaciones que generen preocupación, debemos prestar atención a qué sucede en la relación entre los progenitores y sus hijos. O en la relación entre los padres. Muchas veces se piensa que, como son los niños los que expresan en público (en la escuela, en el club o ante personas que no forman parte de la familia) estas dificultades, son ellos los que necesitan una ayuda profesional. Pero no siempre es así. Primero corresponde a los padres acudir a una consulta y revisar sus propias problemáticas, antes de decidir -vertiginosamente- que son los niños (o sólo ellos) los que necesitan ayuda profesional. A veces, también sucede que ambas problemáticas se retroalimentan mutuamente. Es decir, que los conflictos familiares alteran el comportamiento o generan malestar en el niño, y el comportamiento de éste redunda en una intensificación de los problemas familiares. Todos, en alguna medida, conocemos casos en los que los problemas que manifiestan los hijos son motivo de discusión, desacuerdo y acusación mutua entre los padres. También los chicos muchas veces son tomados como excusa para justificar los enfrentamientos entre padres; así, argumentan que el mal comportamiento del niño genera tensión y malestar entre los progenitores. El resultado: un ambiente familiar muy tenso que perjudica el bienestar y el ánimo de todos los miembros. Estas situaciones pueden realmente resultar muy complicadas cuando –además de los conflictos familiares- el niño no cuenta con los límites suficientes que podrían colaborar –en alguna medida- en el autocontrol de su conducta.

Las dificultades que presentan los niños (incluidas las de conducta y aprendizaje) también pueden estar relacionadas con alteraciones en el estado de ánimo de alguno de los padres. Investigaciones realizadas han demostrado que los niños que tienen progenitores (o alguno de ellos) con trastornos emocionales (por ejemplo, depresión) tienen más posibilidades de manifestar problemas de conducta. Por supuesto que, como venimos insistiendo, el abordaje profesional debe incluir a los padres y sus propias dificultades.

Un último señalamiento debe detener nuestra atención en los adolescentes. En relación con ellos, ya sabemos que es natural y parte de su crecimiento el oponerse, desafiar, correr ciertos riesgos y poner a prueba al extremo sus propias capacidades. Pero si estos comportamientos interfieren y perjudican cotidianamente los vínculos con los amigos, la familia y las instituciones de pertenencia (como la escolar), esto puede llegar a ser indicador de la necesidad de una consulta profesional. Sobre todo cuando sus comportamientos y arrebatos ponen en riesgo su propia seguridad y el bienestar emocional y familiar.

En síntesis, debemos evaluar la posibilidad de realizar una consulta a un profesional cuando se presente alguna (o varias) de estas situaciones:

- Problemas de aprendizaje y de conducta que no se logren resolver con los esfuerzos de la institución educativa ni con la ayuda de los padres.
- Situaciones recurrentes de violencia (física y/o verbal) del niño hacia los pares y/o adultos.

- Conflictos importantes en el hogar que, evaluemos, repercutan de manera intensa en el bienestar del niño.
- Problemas emocionales de los padres (depresión, impulsividad, ansiedad excesiva, etc.).
- Violencia familiar
- Rebeldía de alto riesgo para la integridad física y emocional de los adolescentes.

Después de todo, cuando tengamos dudas, cuando no sepamos cómo conducirnos o sintamos un malestar intenso (sepamos o no las causas de ello), no estará de más realizar una consulta para recibir una orientación acerca de cómo manejarnos con los niños. Es hora de que desterremos los prejuicios que indican que los psicólogos y los psiquiatras son para los "locos". Es también hora de poder reconocer –sin temor ni vergüenza- que, muchas veces, solos no podemos.

6. El castigo: ¿sí o no?

Durante siglos, el castigo físico fue una estrategia de educación valorada e indiscutible. El ejercicio de la violencia era una estrategia natural en la crianza de los niños. Un modelo tradicional de respeto, autoridad y poder establecía las reglas claras e irrebatibles de la obediencia hacia los padres y maestros. Mi abuela contaba los castigos usuales (ubiquémonos mentalmente en las primeras décadas del siglo XX) cuando ella era niña. Uno de ellos exigía al niño permanecer arrodillado, durante horas, sobre maíz. Por supuesto, al cabo de un rato –ni pensar después de horas- el dolor era profundo e infinito. Seguramente en el propio bagaje familiar y cultural también disponen de anécdotas e historias –reales y ficticias- sobre el castigo a los niños. Las versiones originales de cuentos para niños también narran castigos cruentos y abandonos. Por supuesto que la modernidad y el paso del tiempo han hecho que las versiones se modificaran y llegaran a nosotros como historias con adversidades pero siempre con un final feliz.

En la actualidad, el panorama es bastante distinto al del contexto histórico de mi abuela. Cuando el tema de la violencia comienza a tomar estado público y a discutirse por fuera de la esfera privada de la familia, empieza a considerarse como inconveniente e indeseable para la educación de los niños. Las disciplinas que se abocan al estudio y tratamiento de los niños (psicología, psicopedagogía, pediatría, entre otras) cuestionan de manera férrea la conveniencia de la utilización del castigo físico y del dolor como estrategias de educación. No obstante, existen posiciones moderadas como "de vez en cuando una bofetada no viene mal"; o se escucha a padres y madres que argumentan a favor, diciendo: "a mí me criaron así (con castigos físicos) y no salí tan mal". Pública y socialmente se sanciona el castigo. Sin embargo, muchas veces en el ámbito privado de la familia se apela a él mucho más de lo que sospechamos. No son pocos entonces los padres que dudan acerca de su utilización. En general, no son pocos los que -muchas veces, a falta de control de los propios impulsos y enojo- se vencen ante él cuando los niños se tornan difíciles de controlar. Tal es el punto de la sanción social, que se procura esconder (tanto desde la víctima como desde el victimario) los rastros físicos que develan el castigo y la violencia.

"Pública y socialmente se sanciona el castigo. Sin embargo, muchas veces en el ámbito privado de la familia se apela a él mucho más de lo que sospechamos..."

Podemos distinguir diferentes castigos. Uno es el físico: una bofetada, un tirón de orejas, un empujón, una agarrada de pelos, entre otras más severas. Otro es la prohibición de realizar alguna actividad de interés para el niño (mirar televisión, salir a jugar); o, por el contrario, la exigencia de un mandato (quedarse en su habitación, obligarlo a ir a dormir temprano, etc.). Estos dos últimos castigos, –que usualmente conocemos como "penitencia"- referentes a una prohibición o exigencia, no son tan cuestionados por la literatura especializada en niños, siempre y cuando se realicen de manera adecuada. Entre las sugerencias que se aportan al respecto, se destaca que la exigencia o la prohibición de determinada actividad no devengan en un perjuicio para el niño. Por ejemplo, no se sugiere que el castigo sea irse a la cama sin comer, o negar a un niño muy pequeño el postre (una fruta, un producto lácteo) por haberse negado a almorzar o cenar (puesto que el postre puede contrarrestar un poco el hecho de que el niño no haya comido). La segunda sugerencia fundamental es no sobrepasarse con el tiempo de duración del castigo. La finalidad del castigo es que aleccione, pero para ello no es necesario que dure una eternidad. La tercera indicación es procurar que la severidad del castigo impuesto –nos seguimos refiriendo al que exige o prohíbe alguna conducta, y no al físico- se corresponda con el motivo que llevó a establecerlo. Muchas veces, por cansancio o por nuestra propia inseguridad, somos extremadamente exigentes y exagerados a la hora de disciplinar a los niños; y esto hace que impongamos medidas innecesarias en comparación con el comportamiento que estamos castigando. Por último, nunca se debe establecer un castigo que conlleve una humillación o la producción de vergüenza en el niño, como insultarlo o menospreciarlo. No se puede decir, hacer o exigir conductas o acciones que sean ofensivas. Si así ocurriese, estaríamos ante el maltrato psicológico: una devastadora forma de ejercer la violencia. Es decir, a la hora de utilizar la penitencia como

> "Nunca se debe establecer un castigo que conlleve una humillación o la producción de verguenza en el niño, como insultarlo o menospreciarlo..."

una de las estrategias de la puesta de límites, debemos pensar: cuál llevar adelante, por cuánto tiempo, qué tan serio fue el mal comportamiento del niño, y cuáles son los pro y los contra de nuestra elección. Pero también hay que tener presente que conlleva sus dificultades; corremos el riesgo de recurrir siempre a la penitencia para lograr la obediencia del niño. Y si eso sucede, no estamos lejos de algunas de las consecuencias que también tiene el castigo físico, que veremos a continuación.

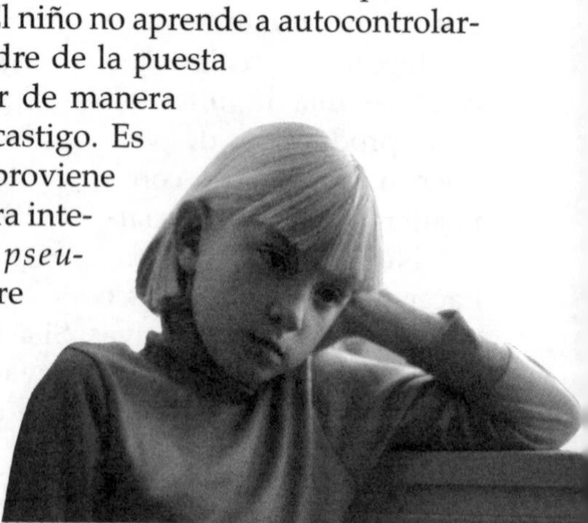

Aprovechemos entonces y volvamos ahora al castigo de tipo físico y veamos por qué éste sí es cuestionado por profesionales y versados en el tema. Y por qué, pese a ese cuestionamiento, se continúa utilizando. Empecemos por esta última pregunta. La ventaja que presenta el castigo físico es que es un método efectivo y rápido, en el sentido de que no debemos apelar a armarnos de toda nuestra paciencia para lograr que el niño obedezca. Es una estrategia que, en definitiva, nos insume poco tiempo y desgaste en el momento puntual de lograr la obediencia del niño. Es efectiva porque se logra de manera inmediata una respuesta favorable a nuestra petición. Aún así, pese a estos beneficios, la realidad es que este tipo de estrategia y estos efectos son a corto plazo. No significan ni la comprensión e interiorización de un límite, ni tampoco un aprendizaje a largo plazo. El niño no aprende a autocontrolarse –que es la finalidad madre de la puesta de límites- sino a obedecer de manera inmediata para evitar un castigo. Es decir, es un control que proviene del exterior y que no se logra interiorizar. Sólo se aprende un *pseudo control* que siempre requiere un estímulo externo (ya sea una amenaza, un castigo), para frenar los impulsos y obedecer. Es en este sentido que planteábamos una advertencia similar con respecto a la penitencia. Si el niño obedece para evitar hacer algo que lo disgusta o para sortear el impedimento de realizar una actividad que lo satisface, en definitiva, la lógica es similar a la del castigo físico y no logra el provecho de los límites. Se obedece sólo por un interés externo y no porque comprenda la necesidad o las razones de por qué se espera de él determinado comportamiento.

> "El castigo genera dos actitudes poco deseables: el sometimiento o, por el contrario, la rebeldía..."

En relación con el castigo físico, hay otras consecuencias de envergadura que hacen que se cuestione tanto en la actualidad. Una primera observación es que el castigo se basa –y logra efectividad- en el miedo, en la intimidación y en el sufrimiento (tanto en el físico como en el psicológico). Una segunda acotación es que genera dos actitudes poco deseables: el sometimiento o, por el contrario, la rebeldía. En el caso del primero, la obediencia, la disciplina, adviene por miedo y no por respeto a los límites. En el caso de la segunda, se obtiene el efecto contrario (la desobediencia, la indisciplina), con el riesgo inherente de repetir –cuando los niños sean padres- modelos de enseñanza violentos. Constituye una expresión contestataria a esa autoridad que le inflige sufrimiento. Pese al desagrado aparente que genera la puesta adecuada de límites en los niños (puesto que reaccionan con llanto, enojo, berrinche), debemos hacer notar que perciben cuándo una puesta de límites es un acto de cuidado hacia ellos y cuándo –según la manera de hacerlo- es un ejercicio de violencia.

¿Por qué y en qué situaciones hablamos de violencia? Hablamos de violencia desde los progenitores –u otros adultos- cuando se establece un vínculo con –al menos- dos rasgos distintivos claves, que veremos a continuación. El primero de ellos es la existencia de una relación asimétrica, en la cual el más fuerte ejerce su poder sobre un miembro más débil, con escasas posibilidades –de este último- de defenderse o de deshacer el vínculo. Cuando hablamos del "más fuerte" no nos estamos refiriendo únicamente a la fuerza de tipo física, sino a la capacidad de ejercer dominio -físico, psicológico, social- de una de las personas hacia la otra. Si pensamos en la situación de los niños con respecto a sus padres o figuras de cuidado, nos percatamos de que éstos son absolutamente dependientes de aquéllos; tanto económica como afectivamente. Difícilmente un niño pueda deshacer el vínculo que lo une a sus padres. Y si lo hace, se llega a circunstancias extremas como huida del hogar; o en el mejor de los casos, cuando el niño está en la pubertad y cerca de la adolescencia, determina el deseo de vivir con otro familiar (generalmente con los abuelos). Y ni aún así, pudiendo irse del hogar parental, se logra completamente cortar el vínculo emocional con los padres y evitar una parte significativa del dolor. Siempre, en todas estas situaciones, el costo afectivo es muy alto.

"Si pensamos en la situación de los niños con respecto a sus padres o figuras de cuidado, nos percatamos de que éstos son absolutamente dependientes de aquéllos; tanto económica como afectivamente..."

La segunda particularidad a la que hacíamos mención, en referencia a la violencia, es que esta relación entre un dominador y un subordinado está mediada por la sumisión y la inferioridad de este último, y por el ejercicio del miedo para obtener su obediencia. En síntesis, cuando nos referimos a violencia hablamos de una relación jerárquica, desigual, en la que uno de los miembros utiliza su poder y el miedo para dominar a otro miembro, en condición de inferioridad. De por sí –como anteriormente ya mencionamos- la relación entre progenitores e hijos, o maestros y alumnos, es desigual. Pero esta desigualdad no autoriza a que padres y maestros abusen de esta asimetría y ejerzan el miedo y el sufrimiento en el niño como formas de vinculación.

"Cuando nos referimos a violencia hablamos de una relación jerárquica, desigual, en la que uno de los miembros utiliza su poder y el miedo para dominar al otro miembro, en condición de inferioridad..."

El castigo físico somete a un niño, que no puede defenderse, a obedecer invariablemente para no sufrir; ya sea una agresión física o psicológica (insultos, humillaciones, amenazas de abandono o decir que se lo dejará de querer; ridiculizar, privar de afecto, entre tantísimas otras). De hecho, las personas maltratadas apelan al desarrollo de una obediencia anticipada, que se ejerce antes de recibir el castigo; por si acaso y por temor siempre se obedece como manera de evitar la reprimenda. (¡Cómo defenderse de los golpes de los padres! ¡Cómo pensar en salirse de esa situación, cuando el niño se siente permanentemente amenazado y dependiente de ellos!). En estas circunstancias no hay posibilidades de establecer una comunicación en base al diálogo y a la comprensión de la situación, en la cual, se supone, se desea establecer un límite. No sólo se obstaculiza la posibilidad de dialogar sino que, también, se redunda en un deterioro del vínculo entre padres e hijos; además de no lograr el aprendizaje de conductas ni la interiorización de límites. El adulto propinando un castigo corre el riesgo siempre de no poder controlar su enojo, y de utilizar al niño como un objeto de descarga de sus propias frustraciones, de su inseguridad y de su agresividad.

Las consecuencias de la utilización del castigo físico como estrategia de educación se presentan tanto durante la vida infantil como en la adulta. Desde la infancia, el niño desarrolla un sentimiento de apatía, de pasividad y también de agresividad. Hay una fuerte tendencia a vincularse con los otros –por ejemplo, los pares- por medio de la violencia; y en la adultez, de repetir los modelos de agresión que ha aprendido –como víctima- por parte de sus padres. También se ve afectada la imagen que el niño tiene de sí y su autoestima; le han enseñado que él es inferior, que no es digno de querer, que merece que lo abandonen, que no hace nada bien, entre tantos otros epítetos dañinos. Desde la adolescencia y en la adultez, son también frecuentes los problemas emocionales como la depresión; y los problemas sociales, por las dificultades para establecer relaciones interpersonales, y para adaptarse a diversas situaciones; puesto que no puede atenerse a las normas y pautas de comportamiento que regulan las relaciones sociales en cualquier ámbito. Como podrán apreciar, intentar controlar los impulsos y arrebatos violentos (tanto físicos como verbales) no es un detalle insignificante en el proceso de educación y crianza –social, afectiva y física- de nuestros hijos.

Un NO al castigo físico y psicológico

Debemos tener siempre presente que el niño no es un objeto de nuestra propiedad, sólo por el hecho de haberlo concebido, parido o adoptado. El niño es, desde el nacimiento, un sujeto diferente de nosotros mismos y con derechos como cualquier otro ser humano (e incluso más). No es un "ente" que debe hacer todo lo que nosotros queramos; que debe pensar como nosotros, tener nuestros mismos gustos e intereses, y decodificar a la perfección lo que queremos o lo que le estamos procurando transmitir. Todo esto nada tiene que ver con la puesta de límites. Y porque justamente, establecer límites es ayudar al niño a convertirse en un ser autónomo y con poder de decisión, en base a una relación de afecto con sus educadores (padres, maestros u otros adultos). Por el contrario, la violencia impide el desarrollo del niño en su máxima expresión y restringe su libertad. El castigo –y recordemos que el enfado ilimitado, las exigencias inadecuadas y culpabilizar a los niños también son formas de ejercer violencia- no representa un límite porque: no respeta, no escucha, no comprende y no transmite nuestro amor hacia los niños. Somos nosotros los que debemos ganarnos su respeto y obediencia. No por el bien propio –como padres- sino por el de ellos.

"El niño es, desde el nacimiento, un sujeto diferente de nosotros mismos y con derechos como cualquier otro ser humano..."

Sin embargo, resulta difícil remover de la faz de la Tierra el castigo y la violencia. Es más, esta última constituye una de las principales preocupaciones en el campo de la salud pública, por el elevado índice de consultas médicas y psicológicas al respecto. ¿Por qué? En cuanto al castigo utilizado como estrategia de crianza, observamos que se encuentra sostenido por pilares difíciles de remover. Por una parte, veíamos que ciertos padres lo valoran como estrategia y hasta lo consideran un acto de amor hacia sus hijos. Muchas veces esta valoración va acompañada por otra, que refiere a que es una de las mejores maneras de preparar al niño para un mundo real, colmado de sufrimientos, privaciones y adversidades. En este sentido, se piensa que los golpes hacen más duros y fuertes a los niños –futuros adultos- para adaptarse al difícil mundo en el que les tocará vivir. También existe, en muchas sociedades, un componente cultural en el que la violencia en general –y en particular contra niños y mujeres- es parte de las formas aceptadas de vinculación social. Mas, en todas las sociedades ésta se encuentra en algún grado.

“Resulta difícil remover de la faz de la Tierra el castigo y la violencia. Es más, esta última constituye una de las principales preocupaciones en el campo de la salud pública, por el elevado índice de consultas médicas y psicológicas al respecto...”

Muchos padres o adultos que ejercen la violencia sobre los niños, han sido –ellos mismos- víctimas de la violencia. De manera frecuente no tienen conciencia de que se encuentran repitiendo con sus hijos la historia vincular que han tenido con sus padres; o, por el contrario, si lo saben, no pueden controlarlo: los impulsos y la pérdida del autocontrol generalmente ganan la batalla. Es que las marcas que la violencia deja no son sólo físicas, sino también emocionales. Y lo emocional difícilmente se deja dominar por la conciencia y la racionalidad. Sus raíces son profundas e intrincadas, y de muy complicada remoción.

La literatura médica especializada sobre el tema ha definido a los signos físicos –corporales- que evidencian castigos como "síndrome del niño golpeado". Este síndrome incluye fracturas de huesos inexplicables e inusuales por situaciones de accidente, marcas realizadas por manos u objetos (como el cinturón o un zapato) que provocan hematomas, quemaduras en las manos, en los brazos y nalgas, lesiones profundas en el abdomen, pérdida de conocimiento, entre tantas otras. También, sacudir a un bebé menor de dos años puede ser francamente peligroso; aun cuando se lo haga contra una superficie blanda como un almohadón o en la cama. En estos casos, el riesgo es la provocación del sangrado cerebral, que puede conducir a secuelas permanentes (como la invalidez y la ceguera) e, incluso, a la muerte del bebé.

> La literatura médica especializada sobre el tema de la violencia ha definido a los signos físicos -corporales- que evidencian castigos como "síndrome del niño golpeado"...

Como adultos responsables lo debemos tener presente: el castigo del que venimos hablando es violencia; la violencia duele, física y emocionalmente. La violencia puede llevar a situaciones o estados irreversibles. Si no podemos controlar nuestros impulsos, no dudemos en solicitar ayuda interior y exterior a nuestra familia. No lleguemos a situaciones en las que sea demasiado tarde. Éste debería ser un compromiso de todos nosotros con todos los niños, independientemente de su género, edad, color de piel, nacionalidad, nivel social y educativo; la violencia está presente en todos los estratos sociales y en todas las culturas. Los derechos de los niños son universales y debemos hacerlos cumplir.

7. Métodos alternativos para establecer límites

Incentivar la cooperación y la responsabilidad

Hemos desarrollado a lo largo del texto, con bastante detenimiento, qué hacer y qué no. Y hemos desmitificado en bastantes puntos la conveniencia de la utilización de la violencia o el castigo como métodos válidos. Pero antes de avanzar, hagamos un breve señalamiento con respecto a las recompensas que les otorgamos a los niños cuando se portan bien. Hay muchos adultos que, para lograr una determinada conducta del niño, le prometen una golosina, un juguete, u otro objeto preciado. Esta forma de proceder –su mecanismo- es muy similar al del castigo. Así como, en este último, el niño se comportaba de manera acorde a lo solicitado por los padres para evitar una reprimenda, con la recompensa pasa lo mismo: el niño cumple, ya no para evitar un estímulo displacentero, sino para recibir lo prometido. En ambas situaciones el niño obedece en función de evitar o ganar el premio; pero no se produce un aprendizaje en cuanto a una interiorización óptima de límites. El niño lo hace por ese estímulo (evitar el castigo, ganancia de recompensa), no porque se le esté enseñando cómo es apro-

piado comportarse y qué debe hacer y qué no. El manejo del niño en estos términos es una trampa sin salida: cada vez que pretendamos que se porte como corresponde, que se maneje adecuadamente con los demás, deberemos premiarlo para obtener su obediencia. Y con esta pregunta terminamos: ¿y qué pasará cuando le solicitemos algo sin otorgarle nada material a cambio? Me parece que ustedes ya están en condiciones de figurarse la respuesta.

> "El establecimiento de límites se puede llevar adelante incentivando la cooperación y la asunción de responsabilidades por parte del niño..."

El punto en cuestión es que el establecimiento de límites se puede llevar adelante incentivando la cooperación y la asunción de responsabilidades por parte del niño. En definitiva, estos aspectos son algunos de los resultados más importantes de los límites: que los niños se eduquen para vivir y desarrollarse armónicamente en la sociedad. Por supuesto que esta estrategia requiere tiempo y esfuerzo de los progenitores. Esta forma de puesta de límites no se realiza desde la promesa de recompensa, desde el castigo, ni desde la imposición autoritaria de los adultos. Debe promoverse que el niño desde pequeño vaya asumiendo comportamientos y acciones que signifiquen una cooperación en el desarrollo cotidiano de las tareas y del autocuidado de la familia; a la vez que se incorporen las normas, costumbres y valores familiares. Es muy diferente solicitarle al niño que tienda la mesa –o que lleve el mantel o las servilletas, si es muy pequeño- porque sí, por el hecho de que da la orden mamá, papá o quien sea; a que se le solicite que "por favor ayude a tender la mesa" y se le transmita que se necesita su ayuda, y que es una forma de cooperar con la familia. A los niños pequeños les gusta mucho cooperar y ayudar en los quehaceres domésticos; e imitan lo que los adultos hacen. Es necesario que el niño tenga su lugar en la familia y sus funciones en el hogar. Por supuesto, con un elevadísimo grado de flexibilidad cuando los niños son muy pequeños, evaluando qué pueden hacer y qué no en la etapa evolutiva en la que se encuentran. La gratificación para los pequeños es tanto colaborar como recibir el agradecimiento explícito de quien solicitó la ayuda: diciéndoles "gracias", halagando la manera en que hicieron lo que le solicitamos, dándoles una caricia o emitiendo una sonrisa.

"Si el niño es reconocido -no con recompensas materiales- por la tarea realizada, esto constituye un acto de cariño que le transmite que él puede, que se confía en sus capacidades de realización y que es importante para el desarrollo de la familia..."

De esta manera se está incentivando al niño desde pequeño a colaborar y a asumir responsabilidades, a saber que cada uno tiene obligaciones que cumplir por el hecho de que hacen al bienestar de sí mismo y del resto de la familia. Desde esta perspectiva el niño tiene un lugar como sujeto activo en el núcleo familiar y no como alguien que recibe órdenes o que espera que todo lo hagan por él. Además, si es reconocido –no con recompensas materiales- por la tarea realizada, esto constituye un acto de cariño que le transmite que él puede, que se confía en sus capacidades de realización y que es importante para el desarrollo de la familia. Y como vimos páginas atrás, estas cuestiones son fundamentales en el desarrollo de una buena autoestima: sentirse seguro, aceptado, respetado, apoyado, valioso, amado y útil.

La participación activa en el seno familiar no se restringe únicamente a realizar tareas –de complejidad variable según la edad del niño-; sino también a establecer las normas y pautas de convivencia con el resto de los miembros de la familia. La asunción de responsabilidades implica comprometerse, consensuar y acatar las normas. Si el niño siente que, además de obedecer, también puede participar de la definición de algunas reglas (una muy frecuente, de la que he tomado conocimiento, es que los hijos les instan a los padres a que no fumen en determinados espacios del hogar), se encontrará más comprometido a cumplir. Se fomenta así actitudes recíprocas en cuanto al respeto de cada uno.

La disciplina inductiva: un camino hacia el razonamiento, la negociación y el consenso de los límites

La disciplina inductiva se basa en un estilo educativo de tipo democrático. Recordemos que la bibliografía sobre la temática reconoce cuatro tipos de modelos de educación: el autoritario, el permisivo, el negligente y el democrático; sobre este último nos detendremos en este apartado. Este estilo tiene como eje las necesidades de los niños (o de los adolescentes), por sobre la de los adultos. Es decir, no se apela a una estrategia cómoda para los progenitores o los maestros (como en el caso de los modelos autoritario, permisivo y negligente);

sino que exige un elevado nivel de esfuerzo de éstos en beneficio del desarrollo de la autonomía y el autocontrol en los niños y jóvenes. Esta disciplina se basa en un elevado nivel de demostración de afecto, de aceptación del niño y en una adecuada comunicación con él. La particularidad reside en que los pilares de este tipo de educación están constituidos por el razonamiento, la explicación y la negociación sobre las reglas. Los adultos no imponen mandatos "porque sí" y los niños no obedecen "porque el adulto así dispone".

> La disciplina inductiva se basa en un elevado nivel de demostración de afecto, de aceptación del niño y en una adecuada comunicación con él...

Ello significa que gran parte de las normas y reglas se establecen mediante el consenso –en la medida que sea posible- entre el adulto que manda y el niño o joven que obedece. Pero además de procurar el consenso, existen y se dan a conocer los justificativos por los cuales se pretende que las reglas se cumplan. En este sentido, el adulto debe esforzarse por explicar al niño por qué exige lo que exige; y siempre será por el bienestar de este último y no por un principio antojadizo o una "ley del mínimo esfuerzo" del adulto. Sin duda constituye un esfuerzo para éste, puesto que además de una explicación didáctica sobre los porqués de la medida, hay que dar espacio para que los niños opinen sobre los justificativos y hasta, incluso, desacuerden con los esgrimidos por los adultos. Si el niño debe obedecer, debe tener derecho a discutir la norma. Y hasta ser partícipe de su definición. El adulto que manda se encuentra en el compromiso de escuchar a quien debe obedecer (el niño) y hasta rectificar su decisión (su norma, regla o mandato) si los argumentos que presenta el niño son acertados. Entonces, el principio de la disciplina inductiva es que las normas –en lo posible- sean consensuadas, compartidas y flexibles. Que uno deba cambiar una orden o norma no significa un proceso de "auto-desautorización" sino de reflexión, de escucha y respeto hacia el otro.

Por supuesto que la discrepancia entre adulto y niño sobre la conveniencia o no de una determinada norma no se puede sostener hasta el infinito. Porque esto puede conducir a un perpetuo estado de inmovilización, de indecisión y de puja, sin metas productivas. En este punto, la incuestionable asimetría existente entre el adulto y el niño deberá conducir a que el primero ponga un tope a la situación y exija el cumplimiento de la norma. Una cuestión es imponer el mandato en una situación puntual de desacuerdo irresoluble y otra es tomarlo como principio que rija todos los intercambios con los niños. Apelar, en situaciones puntuales, a la asimetría para el cumplimiento de una orden no es un principio de autoritarismo; sino una estrategia válida y razonable para poner un límite a aquello que pareciera no tenerlo. Y de la puesta de límites justamente se trata. Los padres (y otros adultos) tienen la responsabilidad de finalizar lo que parece conducir a un callejón sin salida.

"Apelar, en situaciones puntuales, a la asimetría para el cumplimiento de una orden no es un principio de autoritarismo; sino una estrategia válida y razonable para poner un límite a aquello que pareciera no tenerlo..."

El proceso continuo de razonamiento y explicación conduce a que los niños puedan ir comprendiendo la lógica de las normas y reglas, y su consecuente interiorización. Se aprende a respetarlas, a interiorizar los límites; pero también a desarrollar un principio de razonamiento, que sin duda será sumamente productivo en el devenir de las futuras relaciones interpersonales. Este tipo de disciplina fomenta el desarrollo de la autonomía, de la autoestima y del autocontrol desde períodos tempranos. La participación de los niños y adolescentes en el establecimiento de las normas conforma una trama de interacción en la cual éstos se sienten respetados, apoyados, escuchados y queridos de manera incondicional.

La lógica sobre la cual se sustenta este posicionamiento se basa en que la disciplina, la interiorización de los límites, la comprensión del sentido de las normas no se alcanzan mediante procesos de "transmisión" –de un adulto responsable a un niño o joven- sino que se construyen. La construcción del sentido de las reglas requiere la participación activa y la interacción entre los miembros, y no un sometimiento (acatamiento) pasivo a las determinaciones de los adultos. Tener la posibilidad de participar en la definición de las normas, tomar decisiones en torno a ellas propicia el compromiso en su cumplimiento, puesto que es parte constitutiva de la propia voluntad y de las convicciones más personales. Lo que estamos diciendo no significa que nosotros –los grandes- deleguemos la responsabilidad en nuestros hijos (o alumnos) en cuanto a su proceso de educación, sino que nos posicionemos en un lugar de guías y referentes. No en uno de imposición.

No tengamos miedo de explicar. No tengamos miedo de equivocarnos. No tengamos miedo de cambiar nuestra postura. Pareciera que siempre lo conocido, la certidumbre, nos hace sentir más seguros; incluso cuando el resultado no es el mejor al que pudiéramos aspirar. Tanto temor nos puede conducir a caminos opuestos: a transmitir inseguridad, inflexibilidad y autoritarismo. Ya hemos visto que éstos no son buenos senderos en la crianza y educación de nuestros niños.

8. La escuela y los docentes:
Otras figuras cruciales en la puesta de límites

¿Por qué hablar de la escuela?

Nadie se atrevería a negar que, en nuestra sociedad actual, la incorporación de los niños en instituciones encargadas de su cuidado se realiza cada vez de manera más temprana y generalizada. Las exigencias económicas actuales, las actividades laborales de la figura materna, la existencia de otros intereses de los abuelos y abuelas –además del cuidado de los nietos- generan la necesidad de incluir a la criatura –muy pequeña- en algún tipo de institución, comúnmente denominada jardín maternal o guardería. Los bebés comienzan, así, un proceso de crecimiento que alterna entre el núcleo familiar y la institución de cuidado. Esta práctica social, con un elevado nivel de aceptación, coexiste con la persistencia de discursos que incitan a las madres a dedicarse casi a pleno al cuidado y crianza de sus hijos. No es poca la culpa que los progenitores sienten por dejar a sus niños muy pequeños (o bebés) prácticamente el día entero en manos de otras personas. Por amor y desazón corremos el riesgo de cometer algunos errores significativos respecto de la puesta de límites. Es frecuente que los padres sientan que una manera de compensar esta situación es no poner límites, no regañarlos ni contradecirlos durante el escaso tiempo que comparten con ellos. Y es entonces cuando se desencadena gran parte de las dificultades asociadas a la falta de límites. El hecho de que el niño pase pocas horas diarias con sus progenitores no exime a los padres del rol que ejercen; poner límites, procurar cierto grado de obediencia, exigir determinados comportamientos y negar –de tanto en tanto- solicitudes de las criaturas continúan siendo atributos necesarios para la educación de los niños en el hogar.

> La institución tiene un papel central en la socialización de los niños, independientemente del tiempo que éstos pasen en la escuela y en la casa...

Como vimos en uno de los capítulos, la institución educativa tiene un papel central en la socialización de los niños, independientemente del tiempo que éstos pasen en la escuela y en la casa. La escuela continúa con su rol socializador y pedagógico, y en algunos casos incrementa y adquiere otras responsabilidades con los niños, referentes al cuidado físico y emocional, que antiguamente estaban encomendadas exclusivamente a la familia: cambiar pañales, dar la mamadera o de comer, acunar, contener berrinches, establecer límites, estimular capacidades cognitivas y motoras. De hecho, históricamente se estableció los seis años como edad base de inicio de la escolaridad formal, en la medida en que antes de dicha edad se consideraba que los niños no requerían instrucción pedagógica formal, sino sólo cuidados corporales y afectivos. Hoy en día, algunos profesionales consideran que la edad conveniente para comenzar la escolarización es la de tres años. Las escuelas y sus docentes se encuentran con niños muy diversos y provenientes de distintos mundos familiares (con valores, normas y hábitos diferenciales), y deben procurar una convivencia aceptable dentro del salón y de la institución; con niños que aún no tienen (o sólo de manera muy precaria) una maduración física y emocional que les permita autorregularse autónomamente. En estas circunstancias, el límite entre *cuidar* y *criar* (o educar) se torna difuso. Los niños están en instituciones y con docentes para ser cuidados pero también –y por este mismo hecho- para ser educados. No es posible disociar o tan sólo delegar el cuidado sin que se entremezclen pautas de educación. Pero ya vimos que los procesos que se llevan adelante en el hogar –socialización primaria- y en la institución educativa -socialización secundaria- tienen matices diferentes y están muy diferenciados por el intenso carácter afectivo de las relaciones que se establecen en el primero y que no se dan tanto en el segundo. Por lo tanto, la escuela no constituye la principal institución de crianza de los niños, ni sustituye a la familiar. La especificidad del propio vínculo familiar hace que ciertas tareas sean indelegables a los docentes y a la escuela.

Estas apreciaciones nos conducen a afirmar que el niño que ingresa al sistema educativo –incluso al pre-escolar- ya se encuentra en un proceso de educación iniciado anteriormente. Antiguamente se consideraba que los niños llegaban a la institución sin ningún tipo de aprendizaje pedagógico previo, y que eran los docentes y la institución los que introducían contenidos, valores y actitudes en una estructura que, hasta el ingreso a la escuela, se mantenía inmaculada. El avance de las corrientes pedagógicas ha desmitificado esta concepción sobre los niños. Las vivencias previas al ingreso en la institución educativa imprimen aprendizajes culturales que se suceden en el interior de la familia. El niño ingresa a la escuela con un bagaje referente a formas de percibir, de comportarse, de moverse, de valorar, que caracterizan la manera de experimentar las vivencias, valorar determinadas formas de conducta e interpretar los acontecimientos. Es decir, los niños ingresan a la escuela con toda una constelación de valores, predisposiciones, preferencias, actitudes, formas de pensar, interpretar y percibir.

> "Las vivencias previas al ingreso en la institución educativa imprimen aprendizajes culturales que se suceden en el interior de la familia..."

La escuela no puede entonces conducirse como si no existiera ningún proceso educativo por fuera de su propio sistema; de hecho trabaja sobre una formación iniciada (y bastante consolidada) en un ámbito particular: la familia. Dado que la socialización y la puesta de límites son procesos que se llevan adelante en estos dos ámbitos (familiar y escolar), lo razonable es que se establezcan pautas coherentes entre la escuela y la familia, orientadas hacia objetivos comunes en cuanto a la educación y el comportamiento de los niños. Sabemos que ello no es fácil, debido a la lógica diversidad de situaciones, patrones culturales y comportamentales que porta el alumnado. Pero la escuela tampoco puede anclarse en el otro extremo: aspirar a la homogeneización absoluta de los niños. Hay diferencias irreductibles, específicas de la biografía y de la cultura familiar de cada niño que la escuela debe contemplar. La fluida comunicación entre la familia y la escuela es el nexo imprescindible para ello. Pero también lo es para comprender los distintos estados y momentos que puede estar viviendo el niño, y que requieren del colegio una forma determinada de conducirse ante la situación de la que se trate. En muchas ocasiones, por ejemplo, la escuela –sus docentes-ignora que la familia se encuentra atravesando una difícil etapa (un divorcio, una enfermedad, un problema económico, o de otro tipo), que repercute directamente en el comportamiento y rendimiento escolar del niño. Circunstancia que requeriría de parte de los docentes una contención y miramiento especial hacia el niño, hasta la superación del período más crítico. Sin este intercambio entre familia y escuela, se corre el riesgo de actuar de manera improcedente y malinterpretar las conductas, aparentemente inapropiadas, presentes en los niños.

> La escuela no puede aspirar a la homogeneización absoluta de los niños. Hay diferencias irreductibles, específicas de la biografía y de la cultura familiar de cada niño que debe contemplar...

Como vimos a lo largo del libro, la puesta de límites –parte esencial de la educación- va ligada a la imitación de las figuras de apego, a la contención, a la atención de las necesidades físicas, cognitivas y emocionales de los niños y a un vínculo de mutuo afecto entre ellos y sus progenitores. La particularidad de la escuela o de las guarderías es que constituyen el ámbito donde se comienza a poner en juego un sistema normativo (más o menos estricto según la edad de los niños y la institución a la que asisten), escrito, e igualitario para todos los niños; que es aplicado por personas totalmente ajenas al núcleo familiar de los infantes. Esta última particularidad conforma una gran diferencia entre el ámbito público (institución educativa) y el privado (seno familiar): la no contaminación de las normas por la intensa carga emocional que está presente en la vinculación entre progenitores y niños. La escuela es, por excelencia, el tránsito privilegiado desde el mundo de lo privado (la familia) hacia la adaptación al mundo público, al social propiamente dicho.

La prueba de fuego: el ingreso a la institución educativa. Un desafío a los límites existentes (¿o inexistentes?) en los niños

Las consecuencias serias para un niño al que no se le ha procurado límites comienzan en los umbrales de su ingreso –en nuestro sistema educativo- al nivel preescolar. Aquí ya no están mamá, papá, los abuelos, o la tía –ni tampoco el perro o el gato, que también padecen al niño sin límites-, a quienes tan bien se les aprendió a conocer el ritmo de reacción y los puntos débiles. La escuela, en un principio, es un ámbito repleto de extraños, grandes y pequeñitos, en el cual se es uno más. No se es "el único". El aprendizaje sobre cómo conducirse en este nuevo ámbito requiere un proceso bastante complejo. Y el mayor desafío e inconveniente será padecido por el niño que no cuente con la interiorización de los límites acordes a su edad. Esta situación es aún más grave cuando la familia no puede asegurar ni las condiciones materiales de vida (alimentación, vivienda adecuada, abrigo, disfrute del ocio, etc), necesarias para el desarrollo de capacidades cognitivas básicas; ni tampoco el proceso de socialización primaria. Aquí comienza el inicio de un largo camino de desigualdades, de dificultades y de carencias, que tiene alcances no sólo en la vida actual del niño, sino también en sus posibilidades y desempeño futuros. La escuela no puede compensar en su totalidad (ni siquiera en una parte significativa) estas dificultades en la socialización familiar. Por el contrario, la institución educativa tiende a considerar a los niños en un mismo punto de partida homogéneo; con estrategias y metas predefinidas para todos de igual manera. Los niños que no pueden seguir el ritmo, que no pueden comportarse ni aprender como el resto, muchas veces quedan en el camino o lo completan con infinidad de dificultades.

La falta de límites en los niños constituye un punto de inicio abiertamente conflictivo con la propia funcionalidad normativa de las instituciones educativas. La escuela establece un sistema de normas cuyo cumplimiento se basa, en gran parte, en el autocontrol del niño: que pueda obedecer una orden, que permanezca sentado, atento, que se relacione de determinada manera, etc. Los límites que establece la institución en relación con los vínculos interpersonales entre niños; y entre éstos y los adultos (maestros, directivos, personal de mantenimiento...); la organización y utilización del tiempo y de los espacios se sostienen en un sistema normativo, formal, escrito, equitativo, cuyo incumplimiento deviene en advertencias, sanciones y reprimendas. Es decir, es la *prueba de fuego* porque es la primera instancia que devela cómo se está preparando el niño para la vida en sociedad, la vida pública, independientemente de la experiencia en el ámbito familiar. Acatar la normativa, asumir las consecuencias de su incumplimiento, aceptar los límites, respetar los derechos de los otros, incluso participar en la producción de las normas –tal como en la actualidad se lleva adelante con los acuerdos de convivencia en las escuelas- son las condiciones clave para la vida en las sociedades democráticas. Ello supone un trabajo de la escuela (por supuesto, también de la

familia) en el desarrollo de algunas cualidades como: motivación y curiosidad (querer aprender y saber), pautas de comunicación aceptables, capacidad de afrontamiento y resolución de conflictos, cooperación, empatía, independencia y confianza en sí mismo. Hace algunas décadas –por el bien de nuestros niños- que existe bastante acuerdo en el campo pedagógico acerca de que las funciones de la institución educativa no se restringen a la transmisión de los contenidos de las asignaturas, sino que también contemplan la formación de valores, actitudes, destrezas cognitivas y componentes emocionales. En la actualidad, más que impartir contenidos, se valora el aprendizaje del uso crítico de los conocimientos y la información, la reflexión, el desempeño en diferentes ámbitos de pertenencia (familiar, cultural, político...) y la formación de valores y actitudes democráticas.

> “La escuela establece un sistema de normas cuyo cumplimiento se basa, en gran parte, en el autocontrol del niño...”

Además de inculcar conocimientos, la escuela tiene como eje otros parámetros referentes a la promoción de la motivación en los niños, el reconocimiento de sus intereses y necesidades, el desarrollo de la participación en la vida y en las actividades de la institución; y por ende, la pertenencia a ella. Estos parámetros requieren un cambio categórico en la concepción sobre el niño y en la forma de tratarlo. Los niños ya no son considerados objetos o una especie de animalitos salvajes que hay que convertir –educación mediante- en personas. Los niños son sujetos con emociones, capacidades cognitivas y aptitudes efectivas y potenciales. En tanto sujetos, los infantes actúan, se comportan no en función de instintos naturales a los que hay que domeñar; sino acorde a lo que han aprendido, a lo que les han enseñado y a cómo se sienten. Un niño que se "comporta mal", llama la atención, o agrede a los demás no es un niño *naturalmente* malo (hasta el momento, no se ha comprobado que la maldad sea: ¡congénita!). Es un ser que está padeciendo y expresando la falta de afecto, de atención, de contención, de límites. Poner un tope a estos comportamientos inaceptables es necesario. Conocer las emociones y las causas que lo llevaron a ello es imprescindible. Se sabe también que los niños rinden proporcionalmente a lo que se espera de ellos y se comportan según cómo se los perciba. Así, los niños muchas veces ven marcados los límites a sus potencialidades de desarrollo por condenatorias y preliminares concepciones sobre él. Las profecías terminan por cumplirse. Revertir las conductas inapropiadas y el sufrimiento del niño obliga a voltear la mirada sobre nosotros mismos, ya sea como padres o educadores; y analizar cómo lo estamos tratando, qué pensamos de él y cuánta responsabilidad tenemos en la existencia de sus dificultades.

> "Los infantes se comportan no en función de instintos naturales a los que hay que sujetar; sino acorde a lo que han aprendido, a lo que les han enseñado y a cómo se sienten..."

Por suerte, las corrientes pedagógicas modernas han humanizado al niño y velan por una formación integral, independientemente de la situación de crisis del sistema educativo. La institución educativa y los maestros no pueden quedar al margen de las transformaciones sociales y familiares que han acontecido, haciendo de cuenta que éstas nada tienen que ver con las metas educativas. Aunque también es verdad que la escuela no tiene demasiadas posibilidades de tomar a su cargo el proceso de socialización primario (o familiar) trunco y deficiente en muchos niños. Esta es una triste realidad social que compromete al cambio, no sólo a las instituciones educativas sino a toda la sociedad. Lo que sí puede (y debería) hacer es fomentar la construcción de identidad y de valores en base a una perspectiva democrática y pluralista. La aceptación de las diferencias, de la diversidad y del esfuerzo de colaboración (trabajo en equipo) son metas necesarias para los sistemas sociales –democráticos- actuales. Este respeto al otro y este principio de altruismo son la base para la convivencia en comunidad. Y en esto mucho tiene que ver la interiorización de los límites; puesto que lo que se pone en juego es el cuidado de los otros, de uno mismo y de la propia convivencia comunitaria. Como vimos a lo largo del libro, éstos son algunos de los frutos que la puesta de límites trae aparejados como logro social.

Las potencialidades de la escuela y sus docentes en la puesta de límites

Como hemos intentado dejar traslucir con nuestros comentarios, no pretendemos polarizarnos ni en la minimización ni en la maximización de la responsabilidad de la escuela en el establecimiento de límites (y en el proceso de socialización en general). Debemos darle su justo lugar: como una instancia fundamental, que no obstante no reemplaza ni puede hacerse cargo de procesos que debieran darse en el interior del núcleo familiar. Si bien la escuela tiene un rol central, no acordamos con el refrán que expresa que "la escuela es el segundo hogar". Familia y escuela son dos ámbitos cualitativamente diferentes; y los docentes no son sustitutos de las figuras maternas y paternas, aunque sí figuras de autoridad. Es desde esta perspectiva que nos posicionamos para pensar el rol y los aportes de la institución educativa en el proceso de socialización de los niños y adolescentes.

La escuela –tanto la primaria como la secundaria- constituye un contexto social y cultural específico, donde se posibilita el despliegue de los procesos de enseñanza y aprendizaje. Como lo comentamos anteriormente, las relaciones que establecen los docentes y directivos con los niños son de tipo asimétrico; hay quienes ocupan básicamente el lugar de educadores y quienes ocupan el de aprendices. Los docentes se ubican, así, en un rol de mediadores entre los estudiantes y los saberes, facilitando su acercamiento y apropiación. Pero los educadores también ocupan un lugar de autoridad, que los compele a asegurar cierto grado de orden y disciplina en el aula. Este orden no se da en un vacío institucional; tanto maestros como alumnos forman parte de un sistema de normas que, se supone, rige para la totalidad del funcionamiento del establecimiento. En este sentido, tanto docentes como estudiantes conviven en un marco normativo que determina sus posibilidades y formas de actuación.

> "Los educadores ocupan un lugar de autoridad, que los compele a asegurar cierto grado de orden y disciplina en el aula..."

Sin embargo, los procesos de enseñanza y aprendizaje no sólo reconocen normas, disciplina, reglas y obligaciones. También ocupan lugar las necesidades, las posibilidades de cada uno, la singularidad. Las pautas y obligaciones generales que rigen para todos no borran ni niegan las diferencias que entraña cada uno de los seres humanos que componen el sistema educativo. Los docentes deben reconocer también el bagaje que cada niño o joven porta, sus necesidades, sus posibilidades y límites; tanto intelectuales, sociales y afectivos como culturales. Se requiere poder sostener un equilibrio entre lo general que determina de manera igualitaria a cada uno de los integrantes del establecimiento educativo, y lo singular que hace que cada uno sea diferente del otro. Éste es un primer punto nodal: el respeto por la propia singularidad de cada alumno, y el reconocimiento de sus potencialidades y sus dificultades. Pretender que todos sean iguales, esperar de todos lo mismo y ofender a quien no pueda llegar al punto esperado constituyen manejos que dañan el respeto y la dignidad del otro. Aquí, es necesario recordar cuánto énfasis hemos puesto a lo largo del libro acerca de la importancia del respeto hacia el niño a la hora de establecer los límites.

Además de las necesidades referentes al aprendizaje de contenidos fácticos, teóricos y prácticos, los niños requieren otras experiencias en el interior del sistema educativo, que incluso posibilitan estos aprendizajes. Pese a que la escuela no es la familia, de todas maneras los niños necesitan sentirse contenidos afectivamente, seguros y protegidos. En una situación de desamparo y falta de afecto es casi imposible pensar que pueda producirse un proceso de aprendizaje fructífero. Las cuestiones intelectuales van de la mano de las emocionales. Pero como vimos unas páginas atrás, la escuela enseña (o debería enseñar) bastante más que los clásicos contenidos de la currícula. La institución educativa debería posibilitar la formación de actitudes que tienen una

“Pese a que la escuela no es la familia, de todas maneras los niños necesitan sentirse contenidos afectivamente, seguros y protegidos...”

estrecha vinculación tanto con la puesta de límites como con el proceso de socialización general. Y hay al menos cuatro de fundamental importancia: la responsabilidad (en la asistencia a clases, en el cuidado de la escuela y de sus objetos, en el cumplimiento de las normas, en el compromiso con el estudio, etc.); el respeto (a docentes, autoridades, otros trabajadores de la institución, a compañeros y a sí mismo); la cooperación (compartir, colaborar, trabajar en equipo, participar, definir y perseguir objetivos conjuntos); y la sinceridad (valorar la verdad, reconocer los errores, propender a las acciones éticas). Incentivar en las clases estrategias de trabajo, objetivos y consignas que posibiliten trabajar estos valores es una responsabilidad y una contribución de los maestros en el afianzamiento de los límites y del respeto social hacia los otros. No sólo se trata de enseñar contenidos de lengua, matemática o ciencias; también se trata de estimular el proceso de formación del *ser*, además del saber. Incluir estos objetivos de trabajo no es perder –como muchos lo consideran- el tiempo. Es trabajar activamente en la construcción de un ser social capaz de vivir en comunidad.

> “La institución educativa debería posibilitar la formación de actitudes que tienen una estrecha vinculación tanto con la puesta de límites como con el proceso de socialización general...”

Cuando los alumnos son adolescentes o están próximos a serlo (de los 12 ó 13 años en adelante), tienen otras necesidades, que deben ser contempladas en los procesos de enseñanza. También disponen de una maduración afectiva e intelectual que les permite trabajar de una manera más reflexiva y abstracta las implicancias de las formas de actuar y de manejarse con los demás. En esta etapa es, entonces, importante trabajar en el conocimiento y la comprensión de los derechos, deberes y responsabilidades que como ciudadanos tenemos; y propiciar la participación en actividades comunitarias y solidarias. Esta formación es de suma importancia porque, como vimos en el apartado sobre adolescentes, éstos se encuentran en un período que opera como bisagra entre el dejar de ser niño y comenzar a ser adulto. Es un momento clave para apostar al adulto que devendrá. Pero también es importante, porque el adolescente fluctúa entre comportamientos antisociales –por la necesidad de vivenciar nuevas experiencias y desafiarse a sí mismo- y los prosociales. Trabajar estos aspectos (derechos, responsabilidades, participación comunitaria) promueve el cuidado de sí mismo y de los otros; instancia central en la interiorización de los límites. Hay dos cuestiones más que la escuela debería sistemáticamente incentivar en los adolescentes. Una de ellas es el cuidado, conocimiento y comprensión del funcionamiento corporal. Como también hemos comentado, el autocuidado tanto físico como afectivo es parte de los frutos y del proceso de la puesta de límites; especialmente en la adolescencia, que es cuando comienza precipitadamente un interés y una utilización del cuerpo con todos los placeres y riesgos que ello conlleva. Una última puntualización, sobre los temas importantes para trabajar con los adolescentes, es la estimulación de la capacidad tanto de pensar en términos racionales (además de los emocionales, que en esta etapa de la vida se encuentran en su máximo esplendor) como también de poder expresar verbal o artísticamente (por

medio del dibujo, la escritura, la música) lo que sienten y lo que piensan. Hay que ayudarlos, porque en esta etapa de la vida hay dificultades para expresarse, y muchas veces ellos lo hacen a través del cuerpo y del comportamiento. Y en ocasiones esto puede ser riesgoso. Los malestares emocionales intensos (que de por sí son parte constitutiva de esta etapa evolutiva) pueden derivar en acciones riesgosas, en accidentes o en situaciones de violencia (hacia sí mismo o hacia los otros). Muchas veces el mal comportamiento, la indisciplina y la violencia son formas –por cierto inadecuadas y de alto costo- de comunicarse. La escuela y los docentes no ignoran ni son ajenos a estos hechos. Es más, la falta de contemplación de todos estos aspectos trae como consecuencia serios problemas de indisciplina y situaciones de violencia en el interior de la institución educativa.

Preocuparse por todos los puntos que hemos comentado en este apartado no representa perder el tiempo o resignar contenidos curriculares. Significa invertir en la adaptación emocional y social de los niños y jóvenes, en tanto futuros adultos. El respeto hacia sí mismo, la autoconfianza; la capacidad de enfrentar desafíos y resolver problemas; el respeto a los otros; la vinculación con los pares y con las figuras de autoridad; las actitudes y las reacciones ante los fracasos constituyen componentes centrales en la socialización de los niños. Es una apuesta al futuro. ¿Y cuál es la finalidad de la escuela y del proceso educativo, si no es el promisorio futuro de sus alumnos?

Recomendaciones válidas para avanzar hacia una disciplina democrática

Desde hace cerca de una década, a partir de las ciencias de la educación se critica de manera persistente la validez de la utilización de las amonestaciones como metodología de disciplina. Además de vinculárselas con procedimientos de tipo autoritario, se denuncia la ineficacia que presentan, en tanto régimen de coacción, en la evitación de los conflictos y de las conductas indeseables en niños y adolescentes. Constituyen, además, un sistema en el que sólo los profesores y autoridades están habilitados para determinar todos los aspectos que refieren al orden y la disciplina en la institución educativa. Desde esta perspectiva, se niega la posibilidad de una participación activa, comprometida y responsable por parte del alumnado. Por este camino, difícilmente el sistema disciplinario pueda alcanzar un perfil formador que propicie normas y pautas de convivencia entre todos los miembros de la institución educativa.

> Desde hace cerca de una década, a partir de las ciencias de la educación se critica de manera persistente la validez de la utilización de las sanciones como metodología de disciplina en la escuela...

Éstas son algunas de las razones que llevaron a replantear el tema de la disciplina en las instituciones educativas, además de la comprobación cotidiana de su ineficacia. Una transformación en la manera de entender la disciplina condujo a valorizar procesos tales como: motivación personal, reflexión, compromiso, participación, consenso y posibilidad de expresión. La disciplina comenzó a comprenderse como una construcción y no como una mera imposición de normas, valores y castigos. En este viraje, las pautas de convivencia comenzaron a constituir un tema de preocupación (y ocupación) para todos los miembros de los establecimientos educativos. Los jóvenes tienen así la responsabilidad de participar, tomar decisiones, emitir sanciones (que no es lo mismo que amonestaciones) y realizar descargos y expresarse sobre las razones de conductas sancionables; tanto ante docentes y directivos, como también ante sus propios pares. Recíprocamente, los adultos, en tanto referentes y responsables de los niños y jóvenes, deben procurar ganarse un lugar de autoridad, en base a la valoración ética y profesional. No deben delegar el problema de la disciplina en los alumnos, sino que deben formar parte de los códigos de convivencia que –con diferencias- también los alcanza. Un ejemplo, por demás actual, para comprender de qué estamos hablando, refiere a la utilización de teléfonos celulares en las aulas. Si su uso está prohibido para los alumnos durante el dictado de la clase, es lógico que la prohibición alcance de igual manera a los docentes y autoridades.

La puesta en marcha de los sistemas o códigos de convivencia se asienta en un espíritu democrático, en una elevada cuota de responsabilidad de todos los participantes y en la búsqueda de consensos. Puede ser que nos desempeñemos en una institución educativa que no tiene intenciones de modificar su sistema de amonestaciones. Sin embargo, podemos ensayar códigos de acuerdo con el resto del aula y durante el transcurso del año lectivo completo. Debemos entonces:

- Comprometer la participación, tanto de los alumnos como la nuestra, en la prevención y resolución de los problemas que se presenten.
- Hacer que las conductas de cada uno se regulen por el grupo. En este caso puede tratarse de la totalidad del aula; cuando el código tiene alcance en toda la institución, se conforma una comisión con autoridades, docentes, preceptores –en el caso de las secundarias-, alumnos y padres. El grupo evalúa las situaciones particulares que se presenten.

- No realizar juzgamientos apresurados. Ante un problema, se deben evaluar los antecedentes, los posibles problemas del joven, la situación en el hogar, etc.
- Asegurar la ecuanimidad y la objetividad en la evaluación de la situación.
- Permitir exponer las razones de la conducta en discusión, aceptar el error y reparar la situación o el agravio cometido. El proceso de reflexión sobre el porqué de una conducta y sus consecuencias es un aspecto central en la prevención (evitación) de futuros incidentes.
- Orientar y fomentar el diálogo con la persona que haya cometido la conducta que se encuentre en observación.
- Establecer trabajos y actividades –con un acompañamiento apropiado- que refieran a la reparación de la situación. Cuando el código de convivencia tiene alcance institucional, por lo general se asignan tareas comunitarias u orientadas al beneficio colectivo. En el caso de una clase, se le puede encomendar que realice una búsqueda bibliográfica sobre algún tema relacionado con el accionar cuestionado.
- Trabajar en talleres de reflexión y discusión sobre el problema (no sobre el joven que cometió la conducta impropia) que se suscita o sobre las consecuencias de nuestros actos.

Así como insistimos sobre la inconveniencia de la puesta de límites en el hogar a partir del castigo, también consideramos que en la institución educativa existen otros procedimientos más fructíferos que las amonestaciones, las suspensiones y las expulsiones. Participación, compromiso, toma de decisiones y reflexión son otros procesos posibles que permiten que los jóvenes interioricen límites y adopten pautas de convivencia adecuadas.

9. Algunos comentarios finales

Llegamos al final del recorrido. Claro está, de la lectura de este libro. Seguimos y seguiremos por largo tiempo, e incluso la vida entera, intentando –a veces con éxito y otras no tanto- domeñar los procesos de crianza de nuestros niños (hijos y alumnos). Puede ser que el libro haya podido echar luz allí donde las incertidumbres y las dudas siempre nos ganan la pulseada. Pero también es posible que la confusión vaya en aumento, si las sugerencias y las revisiones aquí realizadas se contraponen a las vertidas en otros tantos libros existentes para padres, acerca de hijos. La razón de ello es simple. No hay recetas, no hay fórmulas, no hay formas que aseguren en su totalidad un excelente proceder con nuestros hijos. La razón de esto también es simple. Las relaciones entre padres e hijos, las pautas de crianza son aspectos indiscutiblemente humanos. Y lo humano siempre entraña complejidad, incertidumbre; da lugar a la duda, la confusión, la contradicción, la ambivalencia. Somos humanos –tanto los progenitores y los hijos, como los docentes-; y en tanto tales, debemos permitirnos sentir y aceptar todos estos incómodos sentimientos.

Podemos discutir hasta el infinito si se debe o no pegar a un niño; si puede o no dormir en la cama de los padres; si son o no imprescindibles los límites; y una gran cantidad más de temas, que siempre resultan de difícil definición. La realidad es que, probablemente, el proceso más cierto y valedero es aquel que, independientemente de nuestro manejo con los hijos, nos conduce a la reflexión. ¿Por qué? Porque es la vía por excelencia que posibilita el cambio. Si no reflexionamos acerca de lo que hacemos; si no intentamos comprender por qué nuestro pequeño se comporta de la manera en que lo hace; si no buscamos los significados de nuestros actos (y de nuestras contradicciones), difícilmente accedamos a entender las dificultades –muy frecuentes- de nuestro proceder. Detenerse a pensar qué sucede, qué le pasa al niño que tiene un comportamiento incontrolable y una afectividad inconsolable; qué nos pasa a nosotros, qué sentimos, por qué actuamos de tal manera; por qué nos angustiamos y por qué perdemos el control. Hay que ayudarlos y hay que comprenderlos antes que procurar –con cualquier método- silenciarlos o ignorarlos. Sin duda, conocer las distintas etapas del desarrollo evolutivo de los niños nos apoya en la comprensión de muchos de sus comportamientos, emociones y reacciones. Pero hay un punto irreductible, único, que hace que –más allá de las generalidades que encontramos en gran parte de los niños- cada uno experimente el recorrido y sus dificultades de una manera particular. Esta singularidad, esta especificidad, es la que nos desafía a reflexionar y pensar cuáles son los métodos y caminos más convenientes a seguir. Podemos entonces devorarnos decenas de libros de ayuda para padres, pero ello no nos exime de la reflexión y la introspección ante aquello que hace que cada experiencia y cada niño sean únicos y diferentes al resto.

Los niños sienten una enorme gratificación al pertenecer a una familia; hacia sus padres, no en tanto un objeto de posesión –como hemos criticado anteriormente-, sino en términos de relación de afecto, de apego, de respeto y de diálogo. Todo niño necesita experimentar el sentimiento de pertenencia: a los padres primero; luego a la familia, la escuela, la comunidad, su grupo de amigos. Ésta es una de las bases de un efectivo desarrollo social y emocional. Por el contrario, su carencia obstaculiza las posibilidades de maduración socioafectiva. Es esto lo primero que deberíamos garantizarles: que se sientan parte, que se sientan seguros y contenidos. Las situaciones más difíciles sobrevienen cuando los niños no han tenido la oportunidad de experimentar esta sensación de pertenencia y de seguridad; y cuando la socialización primaria –que hemos visto, se encuentra en manos de la familia- no se cumple satisfactoriamente. Aun cuando la noción de familia se reconoce en crisis en las sociedades contemporáneas, continúa siendo un baluarte en la maduración social, intelectual y afectiva de los pequeños. La familia se ha transformado, pero no ha desaparecido. La familia ya no está sólo constituida por mamá, papá y los hijos en común. Pero sí continúa siendo –cualesquiera sean su constitución y los miembros que la componen- un eje central en la organización de la vida social y afectiva de los niños.

Antes de pensar en los métodos y estrategias específicos de crianza y educación, aseguremos –de la manera en que podamos- un contexto donde el niño pueda constituir su propia identidad en base a los modelos de adulto que se le brindan; que pueda relacionarse con los miembros de la familia, para luego hacerlo por fuera de ésta; que desarrolle una imagen de sí mismo y del mundo que lo rodea. La manera de asegurar este espacio no refiere únicamente al cuidado de las necesidades físicas y biológicas (como la alimentación, la higiene, el control médico, etc.), sino también a las de tipo cognitivo, las emocionales y las sociales. El niño aprende a vivir en sociedad, a partir de la experiencia en el interior del seno familiar; es ahí donde se ensayan las primeras relaciones, las primeras obligaciones y responsabilidades; los límites, la colaboración y la ayuda; también los derechos y la satisfacción de las necesidades. Cada familia, o cada madre o padre lo harán a su modo, de la manera en que puedan. Y cualquiera que ésta sea, siempre acarreará aciertos y desaciertos. Eso no debe asustarnos, nos debe compeler a la reflexión y a la transformación. Siempre hay lugar para las equivocaciones y las imperfecciones. Recordémoslo una vez más: somos humanos tratando de hacer todo lo mejor que podemos.

Es verdad, también, que no siempre las cosas resultan como uno deseaba o esperaba, y que las dificultades y conflictos con los hijos pueden alcanzar niveles preocupantes. Esta situación requiere también mucha atención por parte de los progenitores, porque en general las dificultades aparecen cuando el niño ingresa al sistema educativo. Antes de esto, los padres, la familia parecieran no percatarse o minimizar síntomas que develan la necesidad de contemplarlos y prestarles algún tipo de atención. Las dificultades se hacen tardíamente manifiestas, cuando los niños evidencian que no pueden compartir actividades y juegos con los de su edad; cuando son rechazados por el medio (otros niños y adultos), cuando aparecen perturbaciones en el carácter o problemáticas psicosomáticas (alteración del sueño, del apetito, malestares recurrentes, etc.). También es verdad que las dificultades no son sólo de los niños, los padres y las familias, sino también –muchas veces- de las instituciones educativas. Que no saben, no quieren o no pueden manejar las situaciones de conflicto que se presentan con algunos niños. Como lo expresamos anteriormente, la escuela no puede desentenderse del asunto; tanto porque le compete de manera directa la socialización (secundaria) de los niños y jóvenes, como también porque las situaciones conflictivas no resueltas terminan estallando como episodios de violencia en el propio establecimiento.

¿Qué estamos procurando transmitir? Que la presencia o la falta de límites, la conducta adecuada o la inadecuada, la maduración o no del intelecto y de la afectividad no son hechos congénitos de los cuales la única responsable sea la propia *naturaleza* de los niños. Somos nosotros, los padres, los educadores y –de manera más mediata- la sociedad, los principales responsables de las vicisitudes en la vida de nuestros hijos. Cierto es que no es fácil ser padres hoy. Seguramente para otras generaciones tampoco lo fue. Es verdad que las transformaciones de la sociedad actual traen aparejados muchos escollos que nos obligan a realizar sacrificios, concesiones y postergaciones en relación con los cuidados de los niños. Pero los niños de hoy –al igual que los de antaño- necesitan nuestro apoyo, nuestro respeto, nuestros cálidos cuidados y nuestra contención. Necesitan, por el simple hecho de ser seres humanos, la comunicación verbal y gestual, la comunicación afectiva y comprensiva. Una relación y comunicación humanas en su máxima expresión. Éste es un pilar que trasciende las transformaciones sociales y familiares, las particularidades culturales, las características específicas de cada tutor, padre, madre e hijo. Es una necesidad indiscutible.

Empecemos por aquí para poder encaminar satisfactoriamente todo el resto.